De la Savane...
à la Dune

De la Savane...
... à la Dune

Zoël Saulnier

Les Éditions
de la Francophonie

Dessin de la couverture : **Gaétan Doucet**

Couverture : **Info 1000 mots inc.**

Mise en pages : **Info 1000 mots inc.**

Correction d'épreuves : **Monique Grenier**

Production : **Les Éditions de la Francophonie**
720, rue Main, 3e étage
Moncton (N.-B.) E1C 1E4
Tél. 1-866-230-9840
Courriel : ediphonie@bellnet.ca
www.editionsfrancophonie.com

Correspondance
55, rue des Cascades
Lévis,(Qc) G6V 6T9
1-418-833-9840

Distribution : Distribution **UNIVERS**
845, rue Marie-Victorin,
Saint-Nicolas, (Québec) G7A 3S8
Tél. : (418) 831-7474 1-800-859-7474
Courriel : univers@distribution-univers.qc.ca

ISBN 2-923016-64-5

Dépôt légal – 4e trimestre 2004
Bibliothèque nationale du Canada
Bibliothèque nationale du Québec
Imprimé au Canada

Table des matières

Je dédie ce livre à mes parents, qui m'ont appris
que la plus belle des fêtes, c'est le partage
de ma pauvreté.

Je dédie ce livre à mes frères et sœurs
Je ne vous nomme pas dans cet écrit.
En parlant de moi, c'est de vous que je parle...
Autour de la table, comme dans une célébration,
au repas de midi, le dimanche,
dans un bol à soupe où un gros morceau de lard a cuit,
une soupe de « devant de porte »
j'ai trouvé les mots qui me révèlent.
Abrité avec vous dans une maison,
où j'ai rencontré l'amour.

Je dédie ce livre à celles et ceux dont l'amitié
a été source d'inspiration

Mon acte de foi avant toute chose

Depuis toujours j'ai vécu en contact immédiat et permanent avec une réalité spirituelle qui tout à la fois me comble et me soutient. À la manière de Verlaine, un poète que j'aime, dans l'attente patiente des choses, je revis ce « Rêve familier » où il est difficile d'identifier dans ma foi la frontière entre le connu et l'inconnu.

Je comprends, ce matin de printemps qui me baigne dans sa musique, que Dieu n'est pas un problème à résoudre mais un mystère à célébrer. Aujourd'hui, en disant bonjour aux nuages, j'ai fait la plus belle des prières. Un matin où la nature s'est éveillée avec les forces vives d'un matin de Pâques. Je goûte une grande quiétude qui me fait vivre la présence d'un Dieu aimant.

Je ne crois pas en Dieu comme on croit dans des choses.

Je crois Dieu qui se révèle dans les hommes et les femmes. Ce sont mes chemins de la rencontre de Dieu. Quelqu'un a écrit : je me lève athée et je me couche croyant parce que j'ai rencontré Dieu dans les autres au cours de ma journée.

Dieu n'est pas analphabète.

Dieu écrit dans sa création, dans les personnes avec le parfum et la beauté des fleurs.

Voilà son alphabet !

Au bout de mon âge, je ne suis sûr de rien, sinon de Dieu seul.

Au bout de mon âge, j'ai davantage de questions à célébrer que d'explications à donner. « Vouloir expliquer le monde, c'est comme vouloir faire entrer dans un vase des roses à coup de marteau. » (Christian Bobin, *La lumière du monde*)

En ouvrant les tiroirs de ma vie comme j'ouvre les tiroirs d'une armoire, j'ai compris ce qu'écrivait un jour John Ruskin, critique et historien célèbre des arts :

La suprême récompense du travail n'est pas ce qu'il vous permet de gagner, mais ce qu'il vous permet de devenir.

Ce livre, c'est le devenir d'une vie à l'intérieur d'une Église qui se vit souvent en exil, mais toujours en marche. C'est le devenir d'une vie au service d'une parole au cœur d'un peuple en exode vers la terre promise. Je le veux bien !

J'ai puisé des outils dans le cimetière des mots qu'est le dictionnaire, et je vous invite dans cette lecture à la danse de la VIE au son de la musique qui vient du cœur du Dieu.

Ouverture

Je vous offre ma vie comme une partition musicale à déchiffrer, à écouter comme la plus belle des symphonies. Une partition musicale où la compromission reconnaissante, la négociation à ma fidélité sous-tendent en majeur comme en mineur toutes les lignes mélodiques de mon parcours de vie, **dans une manière d'être au monde**.

Chaque thème de ma vie sera encadré de textes d'écrivains que j'ai aimés. Une pièce musicale m'ouvrira toujours au monde de l'écriture car « la musique nous permet de découvrir ce que nous ne savons pas de nous-mêmes. »

J'ai remis toujours à plus tard l'écriture. Je passais à côté de mes souvenirs comme on passe à côté de la mer. Fatigué de les porter et sollicité par des gens qui croyaient en moi, enfin je me suis arrêté en les déposant sur la page blanche. Un peu comme le poète Charles Baudelaire, le génie en moins, j'ai fait l'expérience de « Mon cœur mis à nu » et j'ai écrit ce qui coulait de mon cœur jusqu'au bout de mes doigts.

Ainsi, on m'a commandé d'écrire comme on m'a commandé de vivre.

Écrire pour moi, c'est se trahir dans un plaisir consenti.

Écrire, c'est aller jusqu'au bout de sa vérité en inventant des personnages qui se maintiennent dans la décence sans trop masquer cette vérité.

Écrire, c'est dire dans les limites des mots ce que je suis, ce que je vis.

Écrire, c'est se déposséder de soi-même et souvent de sa vérité.

L'écriture, c'est un nouveau regard fait de mots sur ce que j'ai vécu.

En ce 400e anniversaire de fondation de l'Acadie, une année charnière dans l'histoire de mon peuple, je reprends l'écriture et je propose à votre lecture le roman de ma vie, car toute vie est un roman. J'ai remisé le personnage à peine esquissé de Jacques dans l'armoire aux sortilèges pour me révéler dans l'intensité de mes engagements.

J'ai mariné mes souvenirs comme on le fait dans les meilleures recettes. Tout est à point, il me semble. Il est temps de les déguster avec vous. Mes souvenirs souvent marqués par les âges auront le goût de votre générosité, de votre accueil. Je les épingle sur la corde à linge comme de vieilles hardes dont je ne voudrais jamais me départir. Dans cet exercice de l'écriture, ils flotteront au gré des vents de toutes les saisons de ma vie avec l'intensité qui est mienne. Je voudrais que mes souvenirs vous laissent après leur départ de nouveaux secrets et non seulement des messages. Les secrets nous tiennent en alerte dans un désir de découverte de l'autre tandis que les messages souvent endorment.

Je suis l'unique propriétaire de mes souvenirs et c'est ainsi que j'embellis ma vie au quotidien. Je m'enfante librement dans ces souvenirs avec le temps, vers plus de maturité. Toute ma vie d'adulte tire sa résonance et son sens dans la fidélité à cette enfance que je n'ai jamais perdue. Grâce aux principes de la psychanalyse du souvenir où la mémoire opère des reculs successifs, j'arpente les jours heureux de ma vie où, d'escale en escale, j'accosterai jusqu'au septuagénaire que je suis. Je veux refaire avec vous le chemin de mon enfance lointaine jusqu'à aujourd'hui.

Une manière d'être au monde

• mes racines
• mon enfance
• mes éducateurs

Dans une lecture d'aujourd'hui des *Béatitudes*, Jacques Grand'Maison écrit :

Heureux les témoins de l'INVISIBLE qui bêchent sans cesse notre terre pour inventorier les nouveaux possibles au creux des sols les plus ordinaires.

En écoutant l'ouverture de *La Traviata* et le *Prélude du 3e acte* (Giuseppe Verdi), je brasse la terre autour de mes racines sous le regard engagé de mes parents et de mes éducateurs.

Une maison près d'un verger sauvage où le soleil boit la rosée du matin. Rien de soigné dans le champs en broussaille comme la chevelure mêlée de l'enfant. Un râteau laissé dans la cour dressait un paravent aux fourmis endormies. Une maison gênée s'enfonçant dans le sol pour mieux disparaître au regard du passant, une maison ouverte au grand vent de l'accueil comme une auberge du cœur. Assis derrière mon habitat, j'aimais regarder la mer. Car c'est sans effort qu'on la regarde. Il y a tellement dans les eaux qu'il faut se résigner à ne rien voir de précis pour tout accueillir. Goût de se perdre au moins du regard pour mieux enfouir ce qui se confond avec les eaux : les souvenirs qui au prochain regard revivent sans effort.

Avec les années, le boisé engraissait. La mer demeurait présente dans son bruit au soir de tempête.

La corde à linge, les draps suspendus comme des rideaux de théâtre soulevés par le vent laissant voir le décor de mon enfance : la mer, les arbres, le visage de ma mère, une fille de la DUNE, une femme sûre d'elle-même. Elle fut tellement grande à mes yeux qu'en tout temps j'ai pu à peine découvrir son visage. Dans les champs cueillant des bleuets, mon père le silencieux à ses heures, l'enfant de la SAVANE, lui qui m'a appris la beauté et l'émotion. En le regardant vivre, j'ai appris que la paix n'est pas un lieu, ni un espace, mais une qualité du cœur.

Le vent soufflait. Le souffle du vent animait les herbes mortes. Tout était en mouvement, entraîné vers le bois voisin.

Deux horizons : le bois, la mer. Deux enfances : se remplir de cette densité du feuillage sauvage pour cacher ce qu'on est, se libérer de tout comme la vague qui rejette sur le rivage des débris, des épaves…

Jacques, lentement, en longeant la savane, s'engage peu à peu vers les outardes du Sureau Blanc…

En 1961, vicaire en la paroisse Sainte-Thérèse de l'Enfant-Jésus à Bathurst-Sud, dans mon bureau de travail, j'avais commencé ce roman. Tout s'est arrêté. Je laisse tomber le personnage à peine fignolé et j'allume les projecteurs sur la vie de celui qui porte mon nom.

Il suffit de très peu pour retourner au monde de mes origines. Il suffit d'une abeille qui bourdonne contre la vitre pour me rappeler la maison de mon enfance aux parfums de vacances gorgées de soleil et ponctuées de fous rires dans des marées de joies abondantes avec mes frères et mes sœurs.

Mon enfance n'a jamais cessé de chanter en moi comme l'eau discrète d'une source. Quand les jours sont lourds à vivre, j'y reviens et j'y traîne. Une errance qui me console, car j'y vois le monde ainsi plus beau que mes rêves. Ce matin, j'aime l'odeur que je respire comme un fumet de poisson sur une table où on a servi les souvenirs de mon enfance. Dans mes souvenirs, il y a là un escalier dont je descends les marches dans une perspective d'intériorité. Il n'y a en moi rappelant ce moment de ma vie aucun sentiment de distance, mais un rayonnement de chaleur humaine qui me nourrit toujours. Retourner sur les lieux de mes racines pour y retrouver aujourd'hui la clé de ce que je suis. Cette clé qui est la fidélité à ma vérité.

Je suis plus qu'une image
Dans ma quête de vérité, j'ai déchiré cette image
Et tu m'as vu dans ma nudité
Car avec toi, je veux être tel que je suis

J'ai marché sur les sables de ma vie
J'ai mis mes pieds dans les pas que d'autres m'ont tracés
Enfin un jour je me suis éveillé
Et je t'ai offert ma vérité

Poussé par les vents de mon vécu tourmenté de tempêtes
J'ai broyé l'image de mes rages et de mes soifs
Que les autres m'ont données
Pour qu'un matin de soleil
Je puisse vivre ma vérité

En me déshabillant de cette image
Venue de très loin, très loin
J'ai refait le chemin de ma vie
Avec des pas qui étaient les miens
Je fais entendre la musique de ce silence
Une musique est venue broyer cette image
Qui n'était que façade
Qui m'empêchait de vivre ma vérité

Je reviens vers vous dans la pureté atténuée du souvenir. Une journée dans le temps de ma vie où j'écris sur un papier d'une transparence limpide comme je voudrais que soit pour vous ma vie :

Tu le connais, lecteur, ce monstre délicat,
Hypocrite lecteur, – mon semblable, – mon frère !

Je reviens du voyage de mon silence, un voyage aux multiples escales, et j'ouvre la porte de mon chez-moi, lieu de mes racines qui portent des odeurs de pauvreté mais surtout de tendresse. À la maison, on était souvent dans le silence sans en être gêné. Aucune technique de dressage précoce ou brutal. Plutôt un milieu serein et paisible qui a ouvert l'enfant que j'étais à la tendresse, à la beauté, à la poésie. L'exiguïté des lieux dans notre petite maison faisait que nous étions proches pour mieux nourrir l'amour entre nous.

Dans la cuisine s'affaire une femme qui chantonne des airs qui ont bercé mon enfance. Elle pétrit sa pâte et bientôt sortiront de ses mains les meilleurs pâtés du monde. Quand, au collège, j'attendais le sommeil dans le grand dortoir des petits en écoutant le bruit du vent, je m'envolais dans un moment d'ennui vers ma petite maison où tout avait odeur d'amour. Réfugié dans la douceur de mes draps, je revivais ces souvenirs où je me voyais la tête accotée à la table de la cuisine. Ma mère me jouait dans les cheveux d'une main, « nounant » un air de folklore et de l'autre main faisait une « poutine » aux bleuets que les plus grands chefs n'ont jamais réussie.

À cause d'elle, j'ai été amoureux de tout, même de mes bêtises. Comme elle, j'ai voulu aimer la vie où le cœur est « atout ».

Assis en retrait de la cuisine, un homme fume et son regard se perd dans les rêves de ses enfants. Déjà en lui, j'accueillais l'homme du silence que je suis aujourd'hui. En pensant à mon père, ce texte dans *L'abatis* de Mgr Félix-Antoine Savard en hommage à son guide en forêt me revient :

Tu m'as appris la valeur du silence, des mots mesurés et des pauses où l'on interroge, où l'on écoute les voix tout autour. Rien n'échappait à tes sens, les plus fins, les plus avides que j'aie connus. Tu ne violentais rien, étant respectueux de toute chose, ayant pour ton dire que tout peut être bon à qui sait le comprendre.

Dans cette « dégustation du calme », souvent pendant la belle saison, j'allais voir mon père dans son potager et je caressais les plantes dans un innocent et bienheureux état d'émerveillement pour être plus proche de lui. Le visage de mon père penché sur les pousses de son jardin était d'une douceur étonnante et son sourire était fragile. Il émanait une grande tristesse de ce visage secret et tendre

Aujourd'hui encore, au bout de mon âge, je sens la chaleur de sa main que je tenais chaque matin en allant servir la messe à l'Hôtel-Dieu Saint-Joseph, et lui regagnant son travail à la ferme des sœurs. Quand il me quittait à l'entrée de l'hôpital pour aller à son travail, il me semble que son regard perdait son éclat et que son sourire était éteint par cette séparation de la journée. Il doit s'ennuyer de nous dans son éternité !

Je suis né de l'amour de ces deux êtres, le 15 août 1933. Ces deux personnes ont été mon père et ma mère avec toute l'affection que ces mots désignent. Quelle fraîcheur dans la rencontre de ces deux héros de ma vie qui m'ont aimé sans trop le dire : une fille de la Dune et lui du Sureau Blanc. J'éprouve ce bonheur qui pénètre la plupart de mes rêveries dans une écriture qui est tissée de la banalité et de la naïveté de toutes ces imaginations d'enfance pour en retenir leur intention profonde. J'ai toujours nourri en moi l'image éternelle du fils et c'est pourquoi il est facile pour moi de revoir les parents qui furent les miens dans cet espace retrouvé de mon enfance. L'espace de ma vie aujourd'hui et l'espace retrouvé de mon enfance sont un seul chemin où mes souvenirs se gonflent d'air et se videront quand la curiosité du lecteur que vous êtes sera assouvie.

J'écoute l'air célèbre *Parle-moi de ma mère* de l'opéra *Carmen* de Georges Bizet à la scène 3 du premier acte, les berceuses de Jocelyn, de Brahms et le chant de folklore *Souvenirs d'un vieillard, chanson-fétiche de ma maman*...

Ma mère, qui est sortie des eaux de la Dune comme la plus belle des sirènes, m'a appris que vivre était une fête. Son admiration pour moi, je vous l'avoue, parfois me gênait un peu. Je lui pardonne cet écart. Quelle audace ! Un fils tant aimé a-t-il le droit de pardonner à sa mère ?

En rentrant de la Villa Saint-Joseph d'une visite à cette fille de la Dune au regard perdu dans le vague de sa vie, une autre fois j'ai vu la foi assise dans un fauteuil.

Ce que l'on aime n'a pas de nom. Cela s'approche de nous et pose sa main sur notre épaule avant que nous ayons trouvé un mot pour l'arrêter en le nommant. Ce que l'on aime est comme une mère, cela nous enfante et régénère une mille et énième fois. Christian Bobin, Une petite robe

Emporté dans l'émotion de cette visite et du texte de Bobin précité, j'écris :

Ma mère, oui, je la revois dans sa beauté de femme.
Assis devant elle, la tête sur ses genoux, j'ai pleuré.
Et comme jadis quand j'étais enfant, elle a accueilli ma peine
Elle m'a consolé
Quel moment de tendresse !
Sa main sur mon front m'a ramené aux moments exquis de mon enfance...heureuse
Elle a mis dans ses gestes la douceur qui dépasse l'absence
Des mots qui ne viendront plus
Tout peut mourir en elle
Mais son cœur ne mourra jamais... Il est trop plein d'AMOUR !

En octobre 2000, elle partait vers son espace de lumière. Elle nous a regardés et ses yeux ont fait le tour de nos vies, emportant avec elle pour son dernier voyage les plus beaux souvenirs afin de nourrir ses escales au goût d'éternité. Sa valise faite en forme de cœur portait l'adresse de son rendez-vous : JE VOUS AI AIMÉS !

Aujourd'hui, je scrute les horizons qui l'ont emportée trop loin, trop loin de nous, ses enfants.

Soudain, je la revois. Elle est toute belle comme au matin de ses noces avec le taquin de la Savane. Son visage chante comme les oiseaux du pré sauvage :

Il y a longtemps que je vous aime
Jamais je ne vous oublierai...

Elle marche emportée sur les ailes du vent et lentement, comme une musique qui entre dans ma vie, elle vient m'habiter en ce matin où le deuil se fait lumière de tendresse. Elle me prend dans ses bras et je suis l'enfant blotti au creux de celle qui m'a appris l'amour.

Je reviens de mon rêve et je regarde par la fenêtre des fleurs qui sont, comme elle, « immortelles ». Elles ont la couleur du visage de ma mère.

Voilà mes dernières paroles pour elle, aussi vraies que mon amour de fils !

Cette Alice au pays des merveilles, elle qu'on appelait d'un mot enrobé d'affection : *mame*. Que de paroles dites, que d'affections exprimées, que de témoignages, que de rires et de larmes autour de cette fille de la Dune et aussi cette fille de Dieu, une maman qui demandait de mourir en aimant.

Lentement sans faire de bruit, avec la discrétion des âmes fortes, elle est partie dans la nuit vers la lumière. Sa force, face à la mort, elle l'a puisée dans son Seigneur qui pétillait dans sa vie, comme un bon vin.

Sa vie a été comme ses recettes, une vie sans mesure précise, mais où tout jaillissait de la spontanéité du cœur. Sa joie du service où un simple verre d'eau devenait une fête. Soit à Robertville, soit à Sheila, au presbytère, elle a été l'agente de Pastorale qui a réglé un tas de problèmes avec une bonne « cuppé » de thé et une galette à la mélasse. Avec vous, un dernier couplet d'un chant de folklore comme le dernier souffle de ma mère me revient aujourd'hui, un chant qu'elle a peut-être chanté en berçant ses enfants.

Je cite :

Tout doucement passent joie et misère
Le front se ride et les cheveux sont blancs
On aime encore et déjà le soir tombe
Et c'est ainsi qu'on marche vers la tombe
Tout doucement.

Tout doucement elle a vécu de Val-Comeau à Tracadie, à Bathurst, à Robertville, à Sheila et enfin à La Villa Saint-Joseph. Tout doucement, elle a vécu avec un cœur habillé d'un grand courage, un cœur accroché à mon père, un Minique du Sureau Blanc, et cela pendant 52 ans dans une vie d'amour et d'humour.

Aujourd'hui en regardant sa vie, à la lumière de cette parole de Dieu proclamée et accueillie, je peux dire :

ce qui est bon appelle la bonté
ce qui est paix appelle la paix
ce qui est don de soi appelle le don des autres.

Il n'est pas déplacé de vous avouer que je suis habité d'une joie calme qui prend racine dans le deuil de la séparation en ces funérailles.

Je suis comme habité de la joie de son humour. Après avoir élevé ses enfants, elle fera une percée dans le monde du travail, soit à la cuisine de l'Hôtel-Dieu Saint-Joseph, soit au Dixie Lee. Quand elle travaillait au Dixie Lee, je me souviens qu'on nous a raconté qu'un midi, à l'heure où tout le monde avait faim en même temps, dans une affluence de commandes, un policier avait fait une commande par téléphone et terminé ainsi : « C'est urgent, je suis de la police montée. » Elle a répondu : « Même si vous étiez monté sur le « top » du Dixie Lee, on ne peut pas aller plus vite. »

Je suis habité de sa joie qui était accueil en donnant un foyer à Clara, Raymond et Martina. *J'avais faim et vous m'avez donné à manger*. Je suis habité de cette joie en pensant à elle comme à la veuve Sarepta : il y avait toujours de la farine dans sa jarre pour nourrir sa famille et ceux et celles qui faisaient escale à la maison.

En rappelant le souvenir de ma mère, je voudrais vous renvoyer aux souvenirs de vos mamans, de toutes ces femmes qui ont tissé l'histoire de nos vies et qui ont marqué notre monde de leur tendresse comme le grand signe de la présence de Dieu. À travers elle, je rejoins toutes ces femmes qui, dans les gestes du quotidien, ont pris leur place comme partenaire à part entière dans la construction du Royaume, de notre société, et de notre Église.

Dans le visage de ma mère, je revois le visage de toutes ces femmes qui portent très haut encore aujourd'hui l'étendard de la tendresse.

Si ma mère était physiquement proche de moi comme elle l'a été pendant 19 ans, il me semblerait l'entendre dire : *Zoël, c'est assez, arrête. Les gens qui t'écoutent vont croire que c'est vrai, ce que tu dis*. Dans le pays de Dieu où tu es arrivée avec ton bagage à bout de bras, je te dis : *Oui, mame, c'est trop vrai*. Vrai de cette vérité qui a fait de toi une femme de liberté dans une vérité qui était celle du Christ ressuscité. Une vérité qui nous rejoint aujourd'hui dans les pas hésitants de nos choix personnels, de nos fragilités, de nos peines et même dans nos péchés. Une vérité qu'elle nous laisse en héritage et que nous, ses huit enfants et ses petits-enfants qui étaient son « fan club », devons assumer dans la fidélité. Cette vérité qui nous permet d'être quelqu'un dans le casse-tête de nos existences aussi ballottées qu'elles l'ont été avec les grands vents de cette fin de semaine.

Toi qui as si souvent mis la table, le tablier était le vêtement de ton service, le tablier était ton habit de gala. Pour toi, une table nous rassemble dans cette Eucharistie, dans cette église dans laquelle tu as été baptisée le jour même de ta naissance, le 19 août 1906. C'est dans ce pain partagé qu'on se retrouve : « ... car il n'y a pas de plus grand amour que de donner sa vie pour ceux qu'on aime ! »

Musique : Isabelle Roy chante Raymond Lévesque

De la fenêtre de ma maison à la Pointe des Ferguson, ce relais du silence et de ma solitude, je vois le terrain où mon père est né. Un voile de brume recouvre le ruisseau du Sureau Blanc qui, avec le temps, est devenu un bras de mer, un matin où l'air est aussi doux que la chair d'un enfant. Le brouillard se dissipe comme un lever de rideau. La nature s'éveille aux premières heures d'une journée remplie de promesses. Je regarde les arbres qui cachent la savane de l'autre côté du rivage. J'y découvre une vie discrète et lente, celle de mon père, aussi belle que la lumière du jour

J'écris aujourd'hui pour mon père, lui qui n'a jamais su écrire sur papier. Il a écrit dans des gestes plus que dans des mots. Le papier de son écriture a été son cœur.

Ce matin, je reviens au ruisseau du Sureau Blanc où chaque arbre a vieilli avec le temps. Je marche dans la paix d'une grande réconciliation. J'accroche à chaque brin d'herbe sauvage le regard du passant que je suis, heureux de vivre cet instant de grâce. J'enjambe le ruisseau ou plutôt je vole comme l'oiseau vers les rives de la terre de mes ancêtres ; et comme l'enfant, je respire l'air de la savane. Je m'étends dans les arbustes cramoisis qui donneront des bleuets en août et j'ouvre le livre de mes souvenirs.

Et j'y vois sur le bord du ruisseau un enfant qui regarde au fond de l'eau pour voir l'homme qu'il sera. Cet enfant du Sureau Blanc, il deviendra mon père. Il a jeté son croc à l'eau et, avec effort, il en retire comme pêche sa famille. Avec celle qu'il a aimée, il a bâti nos existences. L'enfant qui se regardait pêcher dans le Sureau Blanc a grandi avec passion et marchant dans la vie à petits pas, il est devenu le « p'tit cobi », l'ami de plusieurs, le « ratoureur », et surtout un « dad » tant aimé. En pensant à lui, me revient l'air célèbre de l'opéra de Puccini, *Gianni Schicchi* : *O mio babbino caro* (Ô mon père bien-aimé). J'ai hérité de lui ce goût de la taquinerie et du ratoureux pour aller vers les autres, perçant ainsi le mur de la timidité qui m'enveloppe.

Quand le 16 juin 1977, à Robertville, je le serrais pour la dernière fois dans mes bras, lui mourant, j'ai revu l'enfant du Sureau Blanc qui se mirait dans l'eau un autre fois afin d'aller au-delà de ses rêves. Cette nuit-là, j'ai rêvé d'une chasse au gibier des savanes avec mon père. Étendu à côté de lui, j'étais silencieux et songeur et je regardais ce père aux yeux bleus, la langue serrée entre les dents comme la clenche d'une porte, le fusil en joue. Je me traînais tout près afin d'être plus proche de celui qui m'a donné la vie avec tendresse et amour. Encore aujourd'hui, je retiens de lui cet œil au guet qui scrutait les horizons. En regardant plus loin, il m'a appris dans mes engagements à aller, comme lui, plus loin que mes rêves sans être oublieux de mon passé. Acadien pure laine, il m'a donné le goût d'un pays à inventer.

Je voyais la maison des Minique, immense et habitée par un grand-père Lazare à la stature de géant et ma grand-mère Ludivine, aussi petite qu'un santon de Provence. À la manière de Proust, il est toujours facile pour moi de faire coïncider une sensation du passé avec une sensation présente. Je suis lié à mon passé comme à un bien que je possède. Les galettes à la mélasse de ma tante Imelda à mon oncle Adélard me font encore saliver.

Tout était beau en ce début de saison dans la savane, avec le vert tendre des bourgeons prêts à éclater et les oiseaux qui piaillaient dans les arbres tout autour de nous non loin de l'étang, près de la maison.

Un jour, j'irai marcher sur les bords des eaux et refaire le chemin de l'enfance de mon père. Il sera là au rendez-vous du temps qui passe, me tenant la main comme jadis aux matins de tempête, entre la maison et l'Académie Sainte-Famille.

Mon père et ma mère m'ont lancé dans la vie comme sur une mer à naviguer avec les agrès de pêche qu'ils m'avaient donnés.

La vie est comme la vague
Elle se reprend chaque jour
La vie est comme la mer
Elle dort à mes amours

Je marche sur les grèves du temps
Comme l'oiseau qui frôle la mer des ailes
J'y dépose les mains
Et je respire l'air salin des espaces
Je suis né de la mer

Je cherche ce qui reste de lumière en un jour gris
D'automne
Je regarde tout ce que mes yeux peuvent sentir
De présence
Je bois à la rosée de chaque brindille la vie intense
Comme un élan de passion

Je m'étonne d'être l'amoureux des êtres et des choses
Je goûte les couleurs d'or des champs de blé
Je communie à l'autre qui est chaleur, sourire et don

Je suis comme l'arbre. Ce sont les racines qui nourrissent les feuilles de l'arbre que je suis. Les racines de la savane et de la Dune m'ont conduit à être ce que je suis aujourd'hui dans le métissage des familles Saulnier et McLaughlin.

Dans l'air salin des espaces, le jeune Edmund à Lazare Saulnier, portant l'odeur des eaux douces de la savane, rencontrera l'amour de sa vie à la «factorie» des Loggie à la Dune, Alice à James McLaughlin. Leurs amours bercées souvent par la mer m'ont amené à puiser dans le métier des pêches l'apprentissage d'une vie à réussir. J'ai reçu d'eux le respect du pêcheur, un métier qui dit tout des hommes et des femmes de l'Acadie. En rendant hommage aux pêcheurs, c'est le courage d'un peuple que je célèbre.

En écoutant *Partons la mer est belle, Jos à Frédérique, Lady Dorianne, Le Pêcheur acadien...*

En cette journée consacrée aux gens de la mer en ce Festival acadien, je veux avec les gens d'ici rendre hommage aux pêcheurs : ils exercent un métier qui a donné à notre histoire, à nos écrivains et artistes tant d'éléments légendaires et vécus, allant du bateau fantôme à la goélette de Jos à Fréderique, un métier qui est une force économique d'ici. Dans la grandeur de ce métier qui ouvre notre région au commerce avec plusieurs pays du monde, je voudrais en ce pays d'Acadie, où la cale des bateaux fut comme le berceau de notre peuple, emprunter les mots du monde des pêches pour que ma parole soit proche de vous.

Fantaisie sur un thème en hommage aux pêcheurs :

Gens de la mer, avec mes mots
je vous donne un visage maquillé d'air salin
des mains aussi rudes que les galets de nos rivages
des bras maillés de veines comme vos filets
et je parle à votre cœur aussi vaste que la mer.

Laissez-vous bercer à votre tour
et que ces mots soient accueillis
avec la joie d'une bonne pêche.
Quand je te regarde dans tes yeux, je vois le large aussi calme qu'une nappe d'huile où se cache parfois un soir d'orage qui se tapit comme un animal sauvage.

Vos corps sont faits des cordages les plus forts
Vous larguez les amarres à l'invitation de la saison de la pêche
Vous êtes bâtis comme vos bateaux
Vous portez à l'intérieur de vos quilles les richesses aussi merveilleuses que tout ce que peuvent contenir les cales de vos chalutiers

Gens de la mer, vous êtes fiers et droits comme les mâts de vos goélettes
Vous savez lire les eaux comme dans un livre
En scrutant la mer vous pouvez en deviner le fond
Un simple remous vous arme de prudence
Vous gouvernez vos vies avec l'assurance des bons capitaines
Vous savez partager la joie des vôtres comme dans une danse sur le pont de vos navires.
Tu sais pleurer des larmes qui ont le goût de la fraîcheur des mers.
Gens de la mer, c'est vous qui êtes pour moi la plus belle pêche.

En ce Festival acadien, un événement qui est à l'âge adulte et où la culture dans tous les arts (musique, chanson, poésie, arts de la scène et arts visuels) est au rendez-vous, un festival où la culture acadienne est servie à la table du quotidien, les responsables ont réservé un espace autour des mets aux fruits de mer afin de rendre hommage à ces hommes et à ces femmes de la mer dont le métier est aussi le reflet économique de notre région.

Ici, au Carrefour de la mer, en cet endroit non loin du quai où mouillent tant d'embarcations dans une mer divinement belle et accueillante, en cette ville de Caraquet où la vocation marine est mise en évidence avec intelligence, nous nous arrêtons pour reconnaître, parmi les pêcheurs d'ici et d'ailleurs, ceux et celles qui donnent un visage de courage et d'endurance à notre peuple et à l'Acadie tout entière.

Nous savons que ce métier du pêcheur se vit dans l'incertitude d'un lendemain et plus que jamais il faut tendre nos filets de l'entente, du partage et d'une grande solidarité. Il ne faut pas attendre que le pêcheur ait mangé son dernier poisson pour qu'il comprenne qu'il a détruit sa fortune.

Pour nous tous et toutes ici ce soir, le pêcheur, c'est celui dont les yeux savent scruter les horizons pour mieux vivre son métier avec la prudence des vieux loups de mer. Le pêcheur, c'est celui dont le cœur est déjà amoureusement gagné par la mer afin d'y recevoir avec gratitude ce que cette mer veut bien lui remettre. Le pêcheur, c'est celui qui dans toute sa force ramène à quai les fruits de son travail comme on accouche d'un enfant, comme on accouche de la vie avec peine et misère, dans une joie accueillante comme la mer.

Nos étendues d'eau nous parlent à travers nos pêcheurs ce soir. Nos étendues d'eau que sont nos mers se rendent proches de nos assiettes grâce à nos pêcheurs. Nos étendues d'eau que sont nos mers assurent l'économie de nos familles et des travailleurs et des travailleuses d'ici.

En ce 36e Festival acadien où l'artiste a vraiment pignon sur rue, le pêcheur nous invite, comme l'artiste dans son métier, à méditer sur un art contraire au facile, à l'à-peu-près, au laisser-aller, et sans cesse rajeuni par l'humble et fécond contact avec la mer. Ce soir, le pêcheur est l'artiste qui navigue, qui explore sans se lasser car son courage et son amour du métier viennent des profondeurs de notre belle histoire.

Voilà, chers pêcheurs, les raisons de nos hommages !

Je termine en disant à tous les pêcheurs : à votre contact aujourd'hui, j'ai appris à dire avec cœur et tendresse le poème du pêcheur aux prises avec la mer et la vie. En vous regardant vivre votre métier de pêcheur, j'ai appris la vraie liberté que vous donne la mer, cette liberté si expressive des gens et des choses de notre pays, l'Acadie.

En découvrant votre goût de vivre et le bonheur qui est le vôtre, je dis souvent cette béatitude que j'ai inventée pour vous :

Heureux les pêcheurs, ils posséderont la mer !

Musique : Concerto pour harpe et flûte de Mozart :

Quand on a entendu du Mozart,
le silence qui suit est encore du Mozart.

Sacha Guitry

Si je fais une opération décapage dans les couches de mon existence, je ne peux que retrouver avec reconnaissance tous ceux et celles qui sont intervenus pour bâtir la personne que je suis. En éducation, elle est vraie, l'expression *j'élève un enfant*. Grâce à ses éducateurs, un enfant est élevé comme on élève un monument.

En septembre 1939, en pleine guerre, j'entrais à l'école supérieure de Tracadie, mon ardoise sous le bras, l'ordinateur de l'époque. Je commençais ma scolarité, qui allait durer au-delà de vingt ans, en passant par l'École supérieure, l'Académie Sainte-Famille, l'Université du Sacré-Cœur, le Grand Séminaire de Rimouski, l'Université Laval, l'Université d'Ottawa et, enfin, l'Université Saint-Paul.

Monsieur Gérald Rousselle a été mon professeur en première année. Quelle émotion ce fut de le retrouver comme élève 29 ans plus tard, en 1968, inscrit à un cours que je donnais au Collège de Bathurst. Après avoir terminé sa première année, l'élève gaucher que j'étais arrivait à l'Académie Sainte-Famille, où la sœur Caissie aurait la tâche de me « droitiser » en partie quant à l'écriture. Et chaque fois que je franchis le seuil de la porte de l'Académie Sainte-Famille, tout un monde s'éveille en moi. En mettant la main sur la poignée de la porte, il me semble voir des ombres vêtues de noir et aux boucles rouges circulant dans les escaliers sous le regard capitaine de la sœur Saint-Alexandre, postée comme une sentinelle afin de surveiller le défilé des élèves. Chaque fois que j'entre dans la chapelle où est le Musée historique de Tracadie, je revis les célébrations remplies de sacré et à odeur d'encens. En cette chapelle, j'ai servi la messe, j'ai prié et j'ai travaillé comme sacristain avec sœur Saint-Joseph. Grâce au privilège du servant de messe attitré, j'ai eu la bonne fortune d'y poursuivre ma 7e année. Les autres jeunes garçons devaient quitter l'Académie après la 6e. À l'exception des cellules réservées aux religieuses, je pense que pas un seul recoin de cette académie, de ce lieu de croissance, a échappé à mon regard du petit garçon fouineur qui était fourré partout.

En plus de l'enseignement académique, avec sœur Fauteux, j'ai eu le privilège d'apprendre le violon et de subir les examens requis, l'école de Musique de l'Académie étant affiliée au Royal College of Music de Toronto. J'ai gardé bien vivant le souvenir de cet examen d'un monsieur Crépeau. À l'époque, ce n'était pas l'examen qui m'avait impressionné, mais le fait que ce monsieur gardait toujours son béret basque sur sa tête. Quand j'ai constaté qu'il était chauve, j'ai compris que mon avenir n'était pas en musique mais en calvitie. Un jour, je serais semblable à lui, avec une couronne de cheveux autour d'un crâne dégarni. Je me réjouis avec lui de faire partie des têtes couronnées. Dans cette école de musique, j'ai été initié à la technique du violon, au solfège, à la dictée musicale. Après neuf ans au Collège de Bathurst, j'ai enfin renoncé au violon à l'invitation de mon professeur Alfred Pouinard. C'est un grand soir non pas de première mais d'une dernière, à la fin d'une leçon de violon, que mon professeur m'invita à déposer mon violon avec l'archet dans l'étui. C'est alors qu'il me posa la question suivante : « Voulez-vous être célèbre ? » À l'instant et cela au lendemain d'un concert du virtuose Arthur Leblanc, j'ai répondu : « Oui, monsieur. » Il enchaîna : « Pour être célèbre, il faut du talent. Vous n'avez pas de talent. » Alors j'ai compris et, sans discussion, j'ai cédé ma célébrité tant rêvée au célèbre violoniste acadien, Arthur Leblanc.

J'ai pu par la suite faire partie de la fanfare du Collège de Bathurst pendant sept ans et plus tard, j'ai été organiste-accompagnateur au Grand Séminaire de Rimouski. Cette fréquentation de l'art musical grâce au violon a fait de moi un admirateur de la belle musique. Et si j'ai eu le goût de m'impliquer dans les activités culturelles, c'est à l'Académie Sainte-Famille que j'ai eu la piqûre du beau et de l'art sous toutes ses formes. L'Académie Sainte-Famille a été ce lieu d'une semence remplie d'avenir.

Non loin de l'Académie Sainte-Famille, au-delà du site du Centre hospitalier récent, je vois la grange, la porcherie, le poulailler et l'itinérante Charlotte de « poules », la maison des hommes et les beaux jardins de sœur Thérèse-de-l'Enfant-Jésus. En y travaillant avec cette religieuse, j'ai côtoyé la sainteté.

Mes cours de musique à l'Académie Sainte-Famille m'ont permis de retrouver ce que Baudelaire écrivait :

La musique me prend comme une mer !
Vers ma pâle étoile
Sous un plafond de brume dans un vaste éther
Je mets à la voile

Dans cette musique où j'ai mis la voile comme sur une mer, j'ai rêvé d'être chef d'orchestre.

J'écris ce rêve d'un soir, en écoutant Mozart. Chaque note de musique me ramène à moi-même. J'entre dans ma vie comme dans un grenier. Tout est pêle-mêle, mais tout est présent. Dans un effort de mémoire, j'ouvre une première boîte où les choses portent l'odeur de mon enfance. Une odeur qui associe des événements et des personnes aux menus objets qui ont jauni avec le temps. Avec la tendresse de l'amoureux, je caresse de mes doigts ce morceau de bois qui m'avait servi de bâton d'orchestre. Très jeune, je rêvais d'être directeur d'orchestre. La musique m'accompagnait chaque jour. Elle était le jeu de mon enfance. Je me cachais à l'ombre des pommiers et des pruniers que mon père soignait avec tendresse. On se cache toujours pour vivre ses rêves. Ç'a été ma manière de vivre quand mes talents n'ont pas rencontré mes ambitions. J'ai choisi souvent de vivre blotti au creux de mes rêves.

En rapprochant de mes yeux cette baguette de bois, j'ai enfin vu le directeur d'orchestre debout et dirigeant l'univers. En dormant dans mon grenier, au clair-obscur des plus beaux souvenirs, la plus belle scène du monde s'offrait à moi : ma vie. En vivant, je me suis éveillé à mes rêves. L'homme que je suis sera toujours l'enfant du grenier traînant avec lui ses souvenirs. En écartant timidement les cartons de la boîte, je retrouve mon violon de mes jeunes années. L'archet repose juste à côté avec ses crins brisés et mêlés comme la chevelure de l'enfant que j'ai été. Non loin, assis dans la boîte, je découvre ce petit bonhomme assis et gêné de vivre. Je me rencontre et je me retrouve moi-même. Un brin de lumière éclaire le visage de l'ange blessé qui crie au secours : tendresse, tendresse, encore et toujours tendresse.

Je rêve à la tendresse du monde
M'y coucher comme on le fait sur le gazon en plein été
Me couvrir de tendresse comme le seul habit convenable
à un fils d'homme
Porter l'étendard de la tendresse bien haut
sans rien dire
Car seul le silence est espace de tendresse.

Le mot est lâché : tendresse. Un mot que j'ai toujours confondu avec l'amour. Peut-on autrement nommer l'amour vrai ? Cette tendresse que j'ai bue au sein de ma mère, et tout mon être de chair n'en a jamais été assouvi. Le regard de mon père avec ses yeux bleus comme la mer a donné à la tendresse sa couleur. Éveillé, je regarde tout autour et je vois dans un coin du grenier un pantalon rapiécé et une chemise cousue d'une façon malhabile. Chaque couture me renvoie aux différents chemins de ma vie où les détours ont été fréquents. Je descends du grenier et je t'invite à reprendre le chemin avec moi.

J'inscris dans ce parcours de ma vie un texte que m'a permis de reconnaître le travail des Religieuses Hospitalières, à l'occasion du 75e anniversaire de fondation de l'Académie Sainte-Famille. J'ai partagé cette homélie avec les anciens et les anciennes.

Nous sommes ici de tous les âges, de tous lieux et aussi de mentalités différentes. Et pourtant un seul événement nous rassemble : le 75e anniversaire de fondation d'une institution qui nous a tous grandement marqués. Comme individus, nous avons cette capacité de donner, aux faits qui font notre histoire, une présence nouvelle, une vitalité qui nous révèle les vraies réalités qui nous échappent trop souvent. Dans un monde de sondages, d'enquêtes et d'évaluations, il est bon de nous arrêter en toute gratuité et de faire la fête autour de ce 75e anniversaire de fondation pour vivre un événement historique qui n'est rien d'autre que l'œuvre de Dieu comme un bon pain qui a donné la vie à tant de jeunes.

En ce 75e anniversaire de fondation de l'Académie Sainte-Famille, la souvenance de tout un passé en éducation donne toute une fécondité à notre histoire en Acadie. Les Religieuses Hospitalières de Saint-Joseph vivaient déjà, il y a 75 ans, cette devise toute simple de Mère Teresa : un cœur pour aimer, des mains pour servir.

Un cœur pour aimer : une œuvre en éducation sans amour n'était pas concevable en 1912, pas plus qu'aujourd'hui. Un apprentissage qui ne passe pas par le cœur n'est pas digne de l'enfant qui fréquente nos écoles. Un cœur pour aimer : pour que l'éducation ne soit pas une œuvre de répétition, mais une communication des valeurs à tous les niveaux. Un cœur pour aimer : pour que l'éducation soit l'amour rendu visible auprès des jeunes.

Des mains pour servir : pour que l'éducation soit le signe d'un service comme des mains ouvertes sur cette terre de promesse qu'est l'enfant.

Selon le charisme des religieuses que nous fêtons, un charisme d'évangélisation par l'éducation et la culture d'un peuple, anciens et anciennes conviés à cette fête, nous accueillons l'histoire de cette œuvre devenue nourriture pour plusieurs générations. Ces femmes qui nous ont enseigné que la véritable grandeur que l'on veut et que l'on obtient doit se vivre chaque jour dans une lutte incessante, comme l'a été l'histoire du peuple acadien. Que le véritable défi en éducation, c'est dans le plus beau risque : celui d'ériger peu à peu, par des efforts répétés, le plus beau monument qui soit, l'homme et la femme d'ici avec leur identité et leurs convictions à partager.

Avec vous, je me permets de faire à vol d'oiseau ce chemin du retour vers l'Académie avec ses religieuses qui, dans l'œuvre de l'Académie, ont fait germer ce fruit du cœur sur les rives du Tracadie d'antan. L'Académie Saint-Famille, c'est en soi un événement historique vécu dans le passé mais qui se poursuit et enrichit par nos présences engageantes le tissu social d'ici et d'ailleurs. Je retourne avec vous sur les lieux, dans cet édifice aux mille souvenirs, cette maison d'éducation chrétienne que nous fêtons. Comme sur le quai d'une gare déserte, j'y suis entré et j'ai arpenté les corridors et les locaux des classes vides. J'ai respiré l'odeur de la collation de l'après-midi au pensionnat. J'ai entendu le chant du *Te Deum* du matin de mai annonçant la fin de la guerre 1939-1945 en écho à cette paix difficile à bâtir. Peu à peu, mes yeux s'habituaient à l'ombre des religieuses, aussi discrète qu'un coucher de soleil qui entre dans la nuit de la mémoire et dans l'histoire de notre peuple. Assis dans l'encadrement de la fenêtre de la salle de classe de ma 4e année, comme un enfant pensif, j'ai regardé vers le cimetière où dormaient les anges de ma vie qui ont vécu en profondeur et en vérité leur engagement. Dans ce cimetière que j'ai aidé à fleurir pendant mes vacances d'été, un jour je souhaiterais y dormir dans mon dernier repos. Dans les escaliers montaient et descendaient toute une génération d'étudiants et d'étudiantes, pensionnaires et externes, en quête de connaissance pour mieux répondre aux appels de la vie. Mais ici se termine cette escale rêvée en ce 75e anniversaire ; et aujourd'hui, dans cette église, le cœur sait se souvenir, nous qui sommes les fruits mûrs d'une œuvre qui a été la manne de notre région.

L'Académie Sainte-Famille, c'est un acte de foi des sœurs LaDauversière. Doucet, Laplante, Saint-Alexandre, Turcotte, Bernier, LeGresley, Fournier, Caissie et Boudreau. C'est l'histoire d'une fidélité à notre réalité acadienne dans une dimension religieuse que nous ne pouvons pas ignorer. L'Académie Sainte-Famille, c'est bien plus qu'un édifice devenu musée. C'est avant tout le lieu d'une croissance totale de la personne où ont été forgés les leaders de différents milieux. L'Académie Sainte-Famille, c'est l'enracinement de la culture francophone et acadienne dans un coin de l'Acadie qui n'a pas fini de naître. C'est une œuvre de l'Église où des femmes consacrées ont fait vivre le ministère du réveil au potentiel qui les habitait à combien de jeunes, et cela dans l'apprentissage des arts, de la langue et de la musique. L'Académie Sainte-Famille a été un centre culturel de civilisation chrétienne.

Rendre hommage, c'est regarder vers l'avenir pour que l'œuvre des Religieuses des hospitalières en éducation soit toujours présente par nous, anciens et anciennes, dans notre culture.

Rendre hommage, c'est aussi rappeler la gratuité de tous les gestes de ces femmes qui ont trouvé leur joie dans la construction de l'autre.

Rendre hommage, c'est reconnaître qu'il faut comme elles donner le meilleur de soi-même pour maintenir le sens profond de l'aventure humaine.

Rendre hommage, c'est enfin faire le souhait que chacun et chacune de nous soit dans la fidélité le fruit de cette belle œuvre.

En plus du souci du travail bien fait, j'ai reçu de ces femmes la ferveur religieuse qui explique mon choix de la vie sacerdotale. La fierté française et l'affirmation de mon identité étaient au menu. Mes professeurs de français, les sœurs Fournier, Marie de La Ferre, Savoie et Mme Clara Duguay, m'ont éveillé à la musique des mots et à la beauté de la langue française. Des préalables de base qui m'ont permis de poursuivre des études en lettres françaises à l'Université d'Ottawa et d'enseigner la littérature pendant plusieurs années. Le besoin d'être soi-même dans sa culture et dans cet outil de communication qu'est notre langue m'a poussé à m'engager dans la revendication d'un district scolaire francophone pour les élèves de la région de Belledune à Saint-Sauveur, une revendication qui a déclenché la mise en place des districts homogènes dans toute la province du Nouveau-Brunswick. C'est grâce à ces éducatrices que j'ai pu accueillir en moi le goût d'être militant tout en respectant ceux et celles qui sont différents de moi.

Ces femmes m'ont aussi inculqué un regard de compassion qui m'habite toujours. En 1868, six femmes Religieuses Hospitalières de Saint-Joseph quittaient Montréal pour livrer combat contre le fléau de la lèpre, qui aurait pu faire disparaître de la carte toute une population. C'est une page de notre histoire qui a été trop souvent sous-estimée. Comme on le chante dans la comédie musicale de Louis Mailloux :

Je veux qu'on sorte cela des Archives
Pour le semer aux quatre vents...

Une page de notre histoire où, dans l'accomplissement de sa tâche missionnaire, l'Église en Acadie a vécu des moments empreints de sollicitude à l'égard des malades et des personnes souffrantes dans notre beau coin de pays. Il y a là une leçon de courage, d'audace et même de témérité qui a fait des lépreux du Lazaret de Tracadie les miraculés de la compassion.

Les Religieuses Hospitalières, encore aujourd'hui à Brantville où elles m'accompagnent dans la pastorale, comme leurs devancières, m'ont toujours fait voir de quoi sont capables l'homme et la femme, comment le plus fort peut aider le plus faible, comment le bien portant devient proche de celui ou de celle qui ont besoin de l'autre. Dans ma vie qui manque parfois d'audace, ces femmes m'ont aussi ouvert un chemin de compassion qui a nourri en moi cette force de porter sur l'autre un regard qui fait naître, un regard qui permet à l'autre d'exister, un regard qui entre dans les yeux des gens. Dans l'accompagnement que j'ai à vivre, ayant hérité des mes éducatrices, dans tous les sens du mot, un regard qui met debout, j'essaie de découvrir à mon tour, dans le non-jugement, les aspirations profondes et plus fortes que ses blessures de l'être qui est là.

À travers ces femmes, je rends hommage à tous mes éducateurs. Il y avait chez elles ce qui est à la base des théories éducatives de Jean Piaget, grand éducateur suisse. Toutes les fois qu'elles m'enseignaient quelque chose, elles faisaient appel à ma participation pour que je le découvre moi-même. Car ce qu'on découvre soi-même s'enracine mieux. Avec mes éducateurs, je devrais écrire mes maîtres, j'ai pu trouver les dispositifs qui m'ont permis de progresser dans ma croissance. Au cœur de mon apprentissage, mes maîtres ont été là pour me guider en m'amenant à expérimenter moi-même ce qu'ils enseignaient. Ils ont ainsi nourri en moi ce goût de la créativité et non une répétition de ce que j'avais appris d'eux.

J'accepte difficilement que certains historiens jugent sévèrement notre passé en éducation. Quant à moi, quand je regarde vers mon passé, ce n'est pas pour relever les limites de mes maîtres, mais pour reconnaître toutes les forces et les audaces de ces personnes qui ont tout donné pour qu'aujourd'hui j'aie le goût d'être à mon tour un témoin engagé de notre histoire.

Je vous invite à faire la lecture de l'homélie du 135e anniversaire de l'arrivée des Religieuses Hospitalières de Saint-Joseph en terre acadienne, à l'occasion de la célébration eucharistique.

Homélie pour la célébration du 135e anniversaire de l'arrivée des Religieuses Hospitalières de Saint-Joseph à Tracadie

Textes bibliques : 2Rois, c.5, v. 14 à 17, Ti.c.2, v.8 à 13, Luc, c.17, v. 11 à 19

J'ai lu quelque part et je cite : « La création est un livre sacré. Qui sait le lire sagement, y trouvera le Créateur subtilement manifesté. » Afin que le Créateur soit reconnu dans ses œuvres, nous ouvrons aujourd'hui ce livre sacré dans cette sagesse qui nous invite à célébrer le 135e anniversaire de l'arrivée des Religieuses Hospitalières de Saint-Joseph en terre acadienne afin de livrer un combat contre la souffrance de la lèpre.

Des 135e anniversaires, il a dû en pleuvoir sur notre région qui s'est bâtie autour d'événements qui ont marqué notre histoire avec la force du courage et de la passion qui assurent un lendemain à toute expérience humaine mémorable. Mais le 135e anniversaire qui nous rassemble est unique parce qu'il est à la fois une victoire sur la souffrance à célébrer et une bonne nouvelle à proclamer avec le lépreux de l'Évangile, et cela à la suite de ces six femmes, des Religieuses Hospitalières qui en 1868, en quittant Montréal, s'attaquaient au fléau de la lèpre qui aurait pu faire disparaître de la carte toute une population. Une page de notre histoire qui a été trop souvent sous-estimée. Une page de notre histoire où l'Église en Acadie, dans l'accomplissement de sa tâche missionnaire, a vécu des moments de sollicitude à l'endroit des malades et des personnes souffrantes dans notre beau coin de pays.

Si nous sommes rassemblés aujourd'hui, en ce 135e anniversaire, c'est pour exorciser nos mémoires de cette peur et de cette honte qui ont trop longtemps habité les personnes que nous sommes et même la région. C'est pour, à la fois, reconnaître la leçon de courage, d'audace et même de témérité qu'ont eue ces femmes dans un projet qui a fait des lépreux les miraculés de la compassion et qui, par le fait même, donne à notre ville de Tracadie-Sheila le titre glorieux de Ville de la compassion.

Ce qui s'est passé ici, comme un fait unique de notre histoire, peut être lu dans des livres et sera bientôt vu dans un film, mais ce qui s'est passé a besoin d'être vécu comme une expérience religieuse d'une valeur assurée en communauté célébrante et priante, et cela comme un événement qui s'inscrit dans l'histoire sainte du peuple de Dieu qui, de Naaman du 2e livre des Rois jusqu'aux dix lépreux de l'Évangile, nous permet en ce dimanche de chanter nous aussi ce psaume :

Fille de Sion, réjouis-toi, le Seigneur est en toi
Ton vaillant sauveur !...

Ces filles de Sion ont pour nous et notre histoire sainte des noms qui sont plus que des stars d'un soir, mais des croyantes qui se nomment Mère Pagé, les sœurs Quesnel, Brault, Viger dite Saint Jean-de-Goto, Bonin, Fournier dite Lumina. Ces filles de Sion et de saint Joseph qui avec nous claironnent leur devise : « Que le Ciel, avant tout, soit pour nous et avec nous ! » Ce groupe des six, dans un coin d'Acadie en souffrance, sera ici ce que Jésus a été dans son coin de pays, la réponse à ces cris des lépreux : « Jésus, maître, aie pitié de nous. » Lc.17 v.13 traduit dans la langue des gens d'ici à Mgr Rogers : « Donnez-nous nos saintes sœurs ! » Seul des cœurs de femme comme le groupe des six ont pu prolonger jusqu'ici cette mission de Jésus guérisseur, lui qui s'est reconnu dans la laideur du lépreux. Comme au temps du Christ, ces religieuses ont été l'amour présent parmi nous, un amour qui a illuminé les vies de ces damnés de la terre qu'étaient les lépreux, un amour qui a ouvert à ces êtres rejetés un chemin d'espérance, un amour qui a été lumière quand tout autour d'eux était ténèbres. Ces femmes qui parlaient d'amour avec des gestes d'amour ont lancé une œuvre de salut en faisant du Lazaret de Tracadie la rampe de lancement des soins de santé et du mieux-être à toute une population. Nous sommes au berceau des origines des soins de la santé dont nous bénéficions aujourd'hui sans oublier l'Académie Sainte-Famille, lieu d'éducation et d'accueil des orphelins.

Comme leur fondateur, Jérôme Le Royer de La Dauversière, homme de prière et homme d'action, ces six femmes, aussi femmes de prière et d'action, « ces envoyées du ciel » comme les appelait Mgr Paquet, vicaire général à l'époque, ont commencé dans les soins aux lépreux parmi nous, les soins hospitaliers qui vont essaimer dans toutes les Maritimes, éveillant les malades au sens chrétien de la souffrance, une souffrance assumée dans le mystère de l'amour de Dieu. De rejeté qu'il était, le malade, le lépreux, ne sera plus un objet de curiosité, mais une personne à aimer, à soigner, à accompagner et à guérir. Ces femmes surtout armées de la compétence du cœur ont donné un sens à la souffrance des malades en leur donnant la meilleure des pilules, qui est celle de l'amour. Elles aussi, elles « ont tout supporté », comme nous venons de le lire dans la 2e lecture de notre célébration, « à cause des élus » afin de donner la dignité humaine et chrétienne à ces êtres déformés dans leur corps mais sauvés dans leur cœur et dans leur âmes, grâce à ces six femmes dont la seule gloire était de reconnaître le Christ souffrant dans ces lépreux et ces lépreuses.

Rassemblés nombreux dans cette église, héritant de cette devise signée de leur vie, « le premier servi dans l'humanité, c'est le plus souffrant », elles rendent actuelle cette devise dans notre société qui a ses grandeurs et ses faiblesses. Les Religieuses Hospitalières d'aujourd'hui comme leurs devancières nous font voir de quoi sont capables l'homme et la femme, comment le fort peut aider le plus faible, comment le bien portant devient proche de celui ou celle qui a besoin d'être soigné. Dans une région qui ne manque pas d'espace mais qui manque parfois d'audace, ces femmes, les Religieuses Hospitalières de Saint-Joseph, nous ouvrent encore aujourd'hui un chemin de compassion où, souvent, un seul regard de compassion donne à l'autre sa vraie raison d'exister. Elles nous redisent dans leur engagement que tout sera équitable et juste dans notre monde quand la compassion sera dans le cœur de ceux qui gouvernent le monde. Et cela, au cœur d'une expérience humanitaire et missionnaire qui se continue jusqu'au Pérou, une expérience de foi généreuse et ardente qui nous ouvre à l'action de grâce avec ces six femmes qui ont semé parmi nous des faits d'histoire à célébrer, des faits d'histoire non pas à pleurer, mais à proclamer dans nos chants et nos prières afin qu'à notre tour nous sachions que notre monde aura toujours et davantage besoin de cœurs chargés d'amour que de technologies souvent stériles.

Dans cette prise de parole en ce 135e anniversaire de l'arrivée du groupe des six, je cite ce texte de Mère Teresa que pourraient signer Mère Pagé et les sœurs Brault, Quesnel, Bonin, Viger et Fournier, et je cite :

> *La plus grande maladie actuelle n'est ni la lèpre, ni la tuberculose, mais le sentiment d'être indésirable et abandonné de tous ; le plus grand péché est l'absence d'amour et de charité, la terrible indifférence pour ce prochain qui est au bord de la route, en butte à l'exploitation, la corruption, l'indigence et la maladie. Il y a parmi vous, les pays riches, une pauvreté d'amour, de solitude, de moralité ; c'est la pire maladie du monde.*

Les lépreux d'aujourd'hui prennent d'autres visages et, comme le disait Mère Teresa aux dirigeants des pays les plus industrialisés au monde, il est urgent de sortir de nos maisons, de nos égoïsmes, de nos ordinateurs, de nous éveiller, et de nous lever et de tendre la main, car c'est à nous aujourd'hui que Jésus crie au cœur de notre indifférence : « Relève-toi et va, ta foi t'a sauvé. » Soyons, chers frères et sœurs, ce dixième lépreux de l'Évangile, nous rassemblés dans l'action de grâce, car elles sont rares les populations qui peuvent compter dans leur patrimoine un tel événement marqué par la souffrance, sans aucun doute, mais surtout marqué par la victoire de l'amour dans un combat qui, aux yeux de plusieurs, semblait perdu à l'avance.

Chers amis, que ce 135e anniversaire de l'arrivée des Religieuses Hospitalières soit pour nous tous et toutes un lieu privilégié dans un événement qui doit marquer l'histoire, notre culture et même notre avenir. Que ce 135e anniversaire soit libérateur et soit aussi une source de motivations engageantes pour bien des générations. Je termine avec ce texte de Jean-Paul II, écrit à l'occasion de la journée mondiale des malades :

> *Quant à vous, les professionnels de la santé – médecins, pharmaciens, infirmiers, infirmières, aumôniers, religieux et religieuses, administrateurs et bénévoles – et particulièrement vous, les femmes, pionnières du service sanitaire et spirituel en faveur des malades, soyez tous des promoteurs de communion entre les malades eux-mêmes, et entre leurs familles et la communauté... Soyez aux côtés des malades et de leurs familles, afin que ceux qui traversent l'épreuve ne se sentent jamais marginalisés. L'expérience de la souffrance deviendra ainsi pour vous l'école du don de soi dans la générosité.*

Cette aventure vécue en Acadie est une aventure inscrite à jamais dans la mémoire collective et dans le paysage spirituel de notre histoire. Une aventure plus grande que nous-mêmes, où Dieu se révèle dans le visage de ces femmes comme dans le livre sacré de sa création. Debout, chers amis, et que ces Filles de Sion soient acclamées dans cette Eucharistie et dans ce pèlerinage de notre foi. Amen.

Musique : Menuet de Luigi Boccherini que j'entendais pour la première fois au *pageant*, lors des fêtes du 50e anniversaire de la fondation du collège du Sacré-Cœur en juin 1949.

De 1946 à 1957, je serai le collégien. Assis dans le jardin où les pommiers et les pruniers étaient chargés de fruits, je me prépare à la rentrée à l'Université du Sacré-Cœur. Le départ de la maison à chaque rentrée de septembre au collège m'a appris peu à peu que mes parents ne seraient plus là pour m'ajuster à la vie et déjà germait l'adulte que je serais. Après les belles vacances de l'été, flânant dans le verger, je regardais non loin la Pointe-à-Bouleau où aux jours de soleil, avec mes amis d'enfance, Étienne à Frank à Jos, Donald à Georges à Jerry, Murray à Will, Arismas à Wilfred, je pêchais les barbeaux sous la première cage du pont. Quand, plus tard, en France, non loin d'Avignon, j'admirais la merveille du Pont du Gard et de même devant le pont Salazar au Portugal, vous allez rire si je vous dis que le pont de la Pointe-à-Bouleau était pour moi le plus beau. Le 1er juillet, dans une carriole empanachée pour la fête du Canada, nous allions ensemble non loin du chalet des Whalen avec tous les voisins piqueniquer et découvrir la beauté des dunes de sable. Perdu dans mes rêveries, sous un ciel de septembre bleu et limpide, dans le soir qui tombait, petit à petit je revivais mes beaux souvenirs de vacances. Le lendemain, avant de prendre le chemin du collège, je descends au village, ce qui est aujourd'hui la ville de Tracadie-Sheila, avec des arrêts chez Hector, le ferblantier, et en face, à la maison des pauvres où mon oncle Johnny et ma tante Emily sont les gardiens de deux dames âgées, Lucille et Yvette. Au magasin chez Pascal à Ferdinand, je m'achète des crayons et des cahiers pour l'année scolaire qui est à la porte. Le cordonnier paraplégique, Walter Welsh, toujours jovial avec son rire constant et crachant un long jet de salive brunie par le tabac à chiquer, me lance un salut cordial comme le refrain d'une chanson. Je passe devant l'ancienne école supérieure où j'ai ouvert mon premier livre et où le goût de l'écriture m'a envahi comme une manière d'être au monde. Je me surprends à suivre Angèle à Nazaire, habillée pour toutes les saisons et traînant dans un pousse-pousse de sa fabrication l'enfant de la guerre aussi beau et frisé qu'un saint Jean-Baptiste du défilé du 24 juin jadis à Montréal. De l'autre côté du chemin du roi, Adrian Godin entrait en gare avec la vitesse de *Caraquet Flyer*. Après l'achat d'une glace au restaurant A. L. Arseneau, je fais des achats chez les Loggie afin de remplir ma valise. Une halte chez ma tante Julie, une maison juste en face de l'église, à côté du magasin du vieux Bourgeois. J'ai souvenance de l'accueil de la cousine de ma vie Eunice et surtout de son admiration désarmante à mon sujet. Chez ma tante Julie, ma tante Léonore était en visite de Montréal où elle relevait le défi d'un veuvage en travaillant à la Dominion Textile. Aller gagner sa croûte ailleurs, c'est le lot de combien d'Acadiens et d'Acadiennes encore aujourd'hui ? J'ai toujours senti chez ces femmes du côté des Minique cette vie intense, et surtout leur présence toute gratuite qui en faisait des êtres d'écoute. Souvent, leur courage m'a appris que tout est possible dans la vie quand on a le cœur sur la main. Avec des amis, je me suis rendu chez la cartomancienne Betsy à Paulite. Toute fardée comme une tsigane, malgré une forte fièvre qui la tenait au lit, elle confirme nos rêves aux ados que nous étions.

En refaisant le même chemin à mon retour vers la maison, j'approchais de la forge à Edmund Wade et j'entrevoyais déjà un reflet rouge projeté sur mon chemin et le son clair de l'enclume venait jusqu'à moi. J'ai croisé Jos à Octave, qui était déjà dans notre coin à l'origine du Festival *Juste Pour Rire* avec son humour proverbial. Je regagnais mon « eldorado » où j'entendais de loin Stella à Frank à Jos et Zilda à Will qui se parlaient d'une maison à l'autre sans avoir besoin d'amplificateur électronique. Du perron de sa maison, Marie-Louise à Louis Doiron riait d'aise devant les répliques de ces dames aux chapeaux verts. Tandis que Wilfred, Jim, Josée Doiron et mon oncle Johnny faisaient une bonne *game* de cartes après l'émission *Un homme et son péché*. Dans la soirée, en enfourchant la bicyclette volée à mon frère, j'irais rendre visite à mon parrain Georges à Jerry et à ma marraine Monique, son épouse. Leur accueil autour de l'immense table de la salle à manger avec les quatorze enfants m'enseignait l'« ubuntu » de la philosophie africaine : « Une personne est une personne à travers d'autres personnes. » J'ai appris à travers eux à aller vers les autres en faisant violence à une timidité innée.

Tout en me remémorant nos soirées d'antan, j'arrive chez moi où Jos Chiasson, notre chercheur de trésor, est l'invité de mon père. Un chaman au visage tout en os et aux couleurs de cendre avec un regard brûlé de l'intérieur qui peuple encore mon imaginaire. Mon père, ratoureux comme pas un, simule avec le battement de ses pieds la présence des esprits dans la cave de la maison. Soudain Jos Chiasson, en transe, plonge dans la cave comme dans une piscine et en remonte avec des égratignures au front, une « cenne » dans une main et une patate dans l'autre. Cette mise en scène me revient aujourd'hui et fait revivre pour moi toutes ces personnes qui furent les héros de mon enfance. Ces gens aux visages remplis de sagesse et de quiétude et qui portaient en eux la senteur des prés et l'endurance des saisons.

Dans ce coin de mon village, j'ai appris à vivre la communauté. Chaque famille avait ses espaces de vie et ses clôtures, tout en comptant sur les voisins. À travers les champs, nous avions nos sentiers, sitôt enjambés afin de combler la part manquante du jour. Malgré les limites de nos terres, à certains moments, nous avions l'impression d'habiter la même maison. Souvent j'allais, la tasse à la main, emprunter du sucre, de la farine, du thé… Aux prochains achats, tout était remis dans une mesure pleine et bien tassée. Il y avait là une proximité dans le partage des événements et des choses qui m'ont éveillé très tôt à la solidarité, à une véritable communion. J'avais mes sentiers, et surtout celui qui passait derrière chez Will. Ce sentier me conduisait souvent chez mon oncle Johnny et ma tante Emily, où j'étais accueilli comme le trésor de leur vie.

Chaque saison avait, au cœur d'une vie rurale, ses rites hérités de nos ancêtres. La compétition des potagers, les corvées pour préparer le bois pour l'hiver, la tuerie des cochons à l'automne, la cuisson du boudin et de la tête fromagée. Chaque famille du voisinage avait sa quote-part. Toutes nos victuailles qui venaient de la petite ferme étaient préparées, mises en conserve et remisées dans les caves de nos maisons. J'avais déjà fait l'expérience du libre-échange dans la plus grande équité comme un savoir-vivre au quotidien. C'était avant l'arrivée des supermarchés qui ont vite mis en veilleuse le besoin qu'on a des autres.

Je regagnais ma chambre avec un cœur partagé devant la tristesse d'un départ, car c'était la dernière nuit à la maison jusqu'aux vacances de Noël. Le matin, je m'étais levé déjà réconforté par la découverte d'une nouvelle aventure. En prenant le taxi de Fred à Louis, je filais vers Bathurst accompagné de mes parents. Au collège, ma grosse malle fut déposée dans le monte-charge d'occasion et bientôt je serais près de mon lit au dortoir afin de tout préparer pour le semestre. Je serai le numéro 357 pendant sept années de mes études, sous le regard bienveillant de sœur Rose-Alma. Les religieuses ont été le second violon de l'institution et sans elles rien n'aurait été possible. Dans le journal du collège, *L'Écho*, j'écrivais au nom des finissants 1953 ces remerciements aux Sœurs des Saints Cœurs de Jésus et Marie :

> *Là-bas au fond d'un corridor de l'Université, une forme sombre se dessine. Ramassant et emportant avec elle toutes les poussières*
> *qui bravent son courage.*
> *Lentement, comme un ange descendu des cieux, elle essuie de sa main habile les murs salis par l'étudiant ingrat et volage.*
> *Quel est l'âge humain qui se dissimule sous ces étoffes noires ?*

C'est une religieuse qui se donne à son travail, avec abandon et humilité sans pareils.
Mais c'est en vain, car, coûte que coûte, il faudra toujours Recommencer. Odieuse semble être sa besogne aux yeux des hommes.
Mais grand est son métier aux yeux de Dieu.
Et puisque déjà, un immense fleuve d'oubli nous entraîne dans un monde nouveau, une part de vos bontés, chères religieuses, revivront parmi nos souvenirs d'antan...
Ce sont les finissants de « 52-53 » qui viennent déposer à vos pieds
Leurs marques de reconnaissance. Ces lignes montreront que parfois le cœur de l'homme sait reconnaître les services rendus.
Nous partons, mais d'autres demeurent et comme nous l'avons été jadis, ils seront eux aussi vos heureux protégés.

C'est l'écoute de l'andante de la 1re *Symphonie* de Beethoven qui me conduit sur les marches de l'escalier d'entrée du collège Sacré-Cœur de Bathurst. En visitant le château de Versailles à l'automne et ayant en mémoire ces quelques vers de Musset appris au collège, je revoyais cette institution qui a marqué grandement l'Acadie :

Mais vous souvient-il mon ami
De ces marches de marbre rose
En allant à la pièce d'eau
Du côté de l'Orangerie,
À gauche, en sortant du château ?
C'est par là, je le parie,
Que venait le roi sans pareil...

Ce soir-là, en France, la terre d'origine des religieux fondateurs du collège, au coucher du soleil, je revoyais cet escalier d'entrée comme deux mains entourant la statue de saint Jean Eudes. Les marches de cet escalier de l'entrée m'ont ouvert à un monde pas aussi beau que Versailles, mais plus important dans ma vie de jeune. Ayant franchi l'escalier, j'entre et je vois d'un côté la chambre du portier et, en face, le bureau de l'économe, le grand argentier de l'institution. J'arpente le corridor qui mène à d'autres escaliers qui conduisent au dortoir. Les cadres des mosaïques des finissants accrochés aux murs des corridors me motivaient à tel point qu'ils étaient mes modèles à suivre. Chaque matin, j'entendrai les cloches du réveil, la toilette d'usage, la descente à la salle d'étude, la messe à la chapelle, le déjeuner et les classes entrecoupées de recréations. Les souvenirs de la fameuse cantine, à la fin du Carême, le samedi saint à midi, cette cantine débordante comme un supermarché des boîtes de gâteries reçues de nos familles. Après un carême bien suivi et austère, cette cantine nous ouvrait un chemin pascal. Nous déposions dans nos casiers ces boîtes pleines de produits faits maison et le partage entre nous était un véritable exemple de solidarité. Mon séjour de sept années au collège ne fut certes pas une vie de château, car là comme ailleurs, il y eut des moments d'ombre et d'autres de lumière. Tout en étant conscient des moyens du bord à l'époque, quand je retourne en ces lieux qui ont été mes rampes de lancement, soit à l'Académie Sainte-Famille, soit à l'Université du Sacré-Cœur, soit au Grand Séminaire de Rimouski, j'éprouve un sentiment de reconnaissance tel que j'oublie les dérives et les ratés durant ce parcours de ma vie.

Assis dans la galerie du presbytère de Brantville, habité de cette attente joyeuse de la rencontre de ma communauté un dimanche de Pâques, les souvenirs du dimanche au collège me reviennent. Les dimanches matin au collège ont toujours été pour moi des matins de fête. Après avoir endossé nos habits du dimanche, nous montions l'escalier jusqu'au 3e étage pour la grand-messe. Déjà en escaladant les marches, j'entendais les grandes orgues qui m'ouvraient à la louange et à la musique des grands maîtres : Bach, Telemann, Vierne, Widor. Nous étions souvent accueillis dans une chapelle tout en fleurs, et les voix de la chorale nous faisaient prier autour des merveilles immenses de Dieu avec le psaume de Marcello. Chaque élève avait en main son recueil de Cantiques Latour et déjà, nous participions activement aux liturgies de l'époque. Après cette célébration, le dimanche avant le dîner, avec un programme d'étude allégé dans nos salles d'étude respectives, nous anticipions la joie du congé de l'après-midi et des sorties en ville qui nourrissaient en nous le goût de la découverte et de la liberté. Il me semble que j'ai tout aimé au collège, même « la baleine », ce thé travesti qu'on servait avec le dessert et dont les religieuses de la cuisine avaient l'exclusivité. Je n'ai jamais bu une telle tisane en dehors de cette enceinte étudiante.

Mes classes gréco-latines, que j'aimais mieux que tout, m'ont ouvert à ces cultures qui ont été les assises des civilisations occidentales. J'y ai retrouvé les mythes qui donnent le sens de l'aventure humaine, ces mythes qui ont inspiré les penseurs de notre temps et qui ont nourri les œuvres de Camus, de Malraux, d'Anouilh et d'Alain Robbe-Grillet, et avant eux les classiques Pierre Corneille et Jean Racine. Toute vie, un tant soit peu, est cette aventure du mythe d'Œdipe devant le sphinx où nous apportons des solutions aux énigmes de la vie. Déjà dans ma formation classique, j'ouvrais des portes sur des pays qu'à partir de 1970 jusqu'en 1981 je visiterai. C'est ainsi que pendant cette période, je devenais le pèlerin de ces lieux en Europe, en Afrique du Nord, en Yougoslavie et en Grèce, et cela avant la formation de la Communauté européenne, où les monuments étaient des livres ouverts. En Grèce, dans la patrie d'Homère, le père de la Poésie, j'ai marché sur les pas d'Aristote et contemplé divers aspects de la vie et de la pensée grecque. J'ai admiré la ville de Corinthe sise au bord de son célèbre canal en me gavant de raisins. À Athènes, de l'Acropole, la citadelle sacrée bâtie par le belliqueux Périclès, témoin d'un coucher de soleil comme pas un au monde, rêveur, je regardais l'Agora, à mes pieds, où fourmillait tout un peuple. Je pensais à Socrate, l'homme le plus juste et le plus sage de tous les temps et en écho, j'entendais Démosthène haranguant le peuple non loin du port du Pirée. Je n'ai pas rencontré Ulysse, le goût d'un second voyage l'avait repris. Je nourris le projet de jumeler mon lieu de résidence, la Pointe des Ferguson, au golfe de Corinthe. Selon la mythologie grecque, c'est à cet endroit que le dieu des vents, Éole, a perdu le couvercle de sa cruche. Et à la Pointe des Ferguson, nous avons hérité de cette malédiction des vents. Je revoyais en face de mes yeux ce à quoi mes cours de civilisation grecque m'avaient éveillé. D'une autre façon, je retournais sur les bancs du collège où mes maîtres m'avaient aidé à apprivoiser la fresque historique de la Grèce antique. À Rome, refaisant le chemin des versions latines, j'assistais, avec le poète Virgile, à la naissance du peuple romain. Au Colisée de Rome, il me semblait entendre maître Albany Robichaud, notre professeur d'art oratoire, nous déclamer du Cicéron. Et quand je visitais en Espagne le Musée du Prado et en France celui du Louvre, je revenais au musée du 3e étage du collège où j'avais déjà habitué mon regard aux espaces de la beauté. Je fus dès lors éveillé à la valeur du patrimoine.

Au collège, mon sport a été la musique. Chaque samedi, à l'étude des petits, j'écoutais à la radio, qu'un surveillant avait mise sur un banc, l'heure de l'opéra animée par René Arthur. Et plus tard, ce goût de l'opéra était comblé quand l'Opéra Lyrique du Québec présentait à la salle de spectacle *La Bohème* de Puccini avec la soprano acadienne Marie-Germaine Leblanc dans le rôle de Mimi, accompagnée de Jean-Paul Jeannotte, ténor et de Napoléon Bisson, baryton. Quelle émotion d'entendre le violoniste Arthur Leblanc ainsi que Mildred Dilling, harpiste de réputation internationale, Loïs Marshall, soprano de l'Opéra Métropolitain de New York. Du grand théâtre était aussi au menu : Les Compagnons de Saint-Laurent avec leur directeur, le père Émile Legault, le Théâtre du Nouveau-Monde avec *l'Échange* de Paul Claudel où Jean-Louis Roux tenait le rôle de Laine. Le Théâtre populaire du Québec nous a produit du bon Feydeau et du Molière. Vraiment, la culture était au rendez-vous.

Dans les concours d'art oratoire et la récitation des textes dans les cercles littéraires, j'apprenais déjà à m'ouvrir aux talents des jeunes d'ici. J'ai encore bien vivant en mémoire le souvenir de la soirée où l'étudiant Louis Robichaud remportait le trophée du gagnant du concours oratoire intercollégial. Qui aurait cru que ce lauréat serait un jour le premier ministre de notre province et, en plus, le grand politicien instigateur du programme des chances égales pour tous ? Cette politique a été la plaque tournante quant à l'avenir de la francophonie dans notre milieu. Les forces de persuasion de l'orateur de cette soirée de victoire au collège annonçaient déjà les audaces et les forces combatives de ce grand homme en Acadie. J'étais aux premières loges de l'observation, qui m'ouvrait des portes sur l'avant-scène de la vie culturelle en Acadie. Au cœur de ces événements, je me sentais interpellé et initié aux charges qui m'attendaient comme membre du jury au Gala de la poésie et de la chanson du Festival acadien, au Festival de musique de la grande région de Tracadie, comme président du jury du Prix littéraire Antonine Maillet et Acadie-Vie et lecteur des œuvres en nomination au Prix France-Acadie. Dans la région de Népisiguit, je serai le premier animateur culturel reconnu par le gouvernement et rémunéré comme tel. Quelle a été ma joie de seconder le président-fondateur de la Société culturelle Népisiguit, mon ami Jacques Ouellette. On m'a confié la tâche d'organiser un colloque provincial des arts et de la culture afin d'établir un politique culturelle qui est toujours en incubation. Je ne crois pas à la génération spontanée dans ce domaine. Le collège a été une lente maturation culturelle afin qu'un jour je puisse à mon tour être pierre vivante de la vie culturelle en Acadie. Quant à moi, je vis cette certitude que tout vient d'où le grain est semé.

Pour certains, le collège, c'était le mi-chemin entre l'armée et la prison. Pour moi, c'était le lieu de nombreuses découvertes et d'expériences nouvelles qui ne pouvaient qu'enrichir ma vie. J'ai encore en mémoire le 50e anniversaire de fondation de l'Université du Sacré-Cœur, le *pageant* sous l'habile direction du père Laurent Tremblay, o.m.i., et de Maurice Lacasse-Morenoff. J'ai arpenté mon histoire avec de la grande beauté. Quand en septembre 1949, au nom de la classe étudiante, je remettais les clés de notre université à l'ambassadeur de France au Canada, monsieur Francisque Gay, déjà j'ouvrais tout mon être à cet engagement au cœur de la francophonie, lequel engagement a été reconnu le 25 mars 2004 à Ottawa par l'assemblée parlementaire de la Francophonie.

Que de belles amitiés vécues dans ce milieu clos et un tant soit peu en serre chaude... Je pense à ces amis que parfois je rencontre quand nos routes se croisent. Je quittais cette cité étudiante le 7 juin 1953 avec armes et bagages pour une autre étape avec la devise des 19 finissants : *Miracle, n'est pas œuvre*. Autour de cette devise j'avais écrit, dans le journal du collège, *L'Écho* :

> *Prends ton essor sur cette boule terrestre, parce que pour elle, tu es un bijou précieux... Rends puissante ton œuvre, et donne à la culture son prestige d'antan.*

J'y reviendrai plus tard, de 1965 à 1974, comme enseignant. Je serai le collègue d'anciens maîtres et comme eux, j'ai voulu être un partenaire de l'éducation en Acadie. J'ai côtoyé des enseignants et enseignantes qui sont devenus des amis. J'ai été accueilli dans un climat de bonhomie et de franche camaraderie. Un collègue et toujours ami, pour ne pas le nommer, un grand poète et chansonnier acadien, m'avait présenté à ses pairs, à l'occasion de la rentrée de septembre, comme un éminent professeur de français ayant fait une thèse savante sur la virgule dans l'œuvre de Paul Claudel. M'ayant acheté un petit bateau de plaisance, le même collègue m'a escorté au Bureau des Douanes de Bathurst, m'invitant après l'enregistrement de l'embarcation à me présenter au responsable pour passer mon brevet de capitaine. Le regard de l'agent du comptoir m'a vite fait comprendre que j'étais le dindon de la farce. Je préparais les invectives quand je me suis souvenu que mon père m'avait appris, devant la taquinerie, à agrandir mon cœur et à rétrécir ma bouche afin de toujours vivre la taquinerie comme la fine fleur de l'amitié.

En 1974, on a fermé le collège de Bathurst comme on ferme une tombe. Ses funérailles ont été d'autant plus pénibles qu'elles ont été vécues dans l'absence d'un deuil impossible. De commission en commission, tout est devenu rapidement autre chose. Quand je retourne sur la « butte » du collège, il y a des briques jaunes entourées de granite rose qui résistent et qui renvoient les souvenirs de ce qui en moi ne veut pas mourir. Ces souvenirs, comme un tatouage, me poursuivront toujours. L'oubli redoutable et mortel est toujours possible quand on perd aussi facilement la mémoire de son passé. La lutte des derniers instants du Collège de Bathurst donnera même naissance d'un collège hors les murs afin d'empêcher le naufrage d'un tel héritage. Tout cela n'aura jamais raison des belles amitiés partagées avec ces collègues. Quand nous nous rencontrons, nos regards nous ramènent à ces moments où nous partagions la même tâche auprès d'une génération de jeunes et d'adultes, les invitant à créer, à construire, à imaginer le futur sans les encombrer de nos vieilles références. Un genre de pédagogie dépassée parfois, j'en conviens, mais toujours empreinte de liberté ou l'étudiant ou l'étudiante fera le tri de ce qu'il ou elle voudra transformer, garder ou rejeter. J'écris tout cela dans le souvenir d'avril 1974, un 75e de fondation d'une institution à odeur d'enterrement et non de fête. Écrire ces lignes, c'est pour moi une « catharsis » qui rend moins lourd mon bagage. Il y a là une reconnaissance émue et, chaque fois que je croise des anciens collègues amis, « je me souviens ». Pour eux, j'écoute la Complainte de Rutebeuf mise en musique par Léo Ferré :

Que sont mes amis devenus ; que j'avais
de si près tenus... et tant aimés.
Ils ont été trop clairsemés.
Je crois le vent les a ôtés. L'amour est mort.
Ce sont amis que vent emporte
Et il ventait devant ma porte, les emporta.

Aujourd'hui, je suis encore habité de ces moments de grâce où je puisais à volonté à la source des connaissances. J'exprime un seul regret. Il y a parmi mes éducateurs une figure qui demeure depuis longtemps dans ma mémoire : celle du père Arthur Gauvin, eudiste. Il a été mon professeur de mathématiques et, plus tard, nous avons été dans le même corps professoral. À travers sa constance et sa détermination, j'ai compris que c'est le courage des grands hommes qui fait les grands projets. Pendant le ballet de différentes commissions concernant l'avenir de l'enseignement supérieur francophone en Acadie, avec la mort dans l'âme, un père Gauvin visionnaire a renoncé à la charte universitaire de son institution, qui était son enfant, afin que rien ne soit sacrifié à la création de l'université au service de la jeunesse acadienne. Le silence serait-il la seule rançon d'un geste contesté à l'époque mais qui s'est avéré porteur d'avenir ? Je suis toujours étonné et même indigné qu'aucun campus universitaire n'ait pensé rappeler sa mémoire en donnant son nom à un édifice afin que par ce geste l'œuvre des Pères Eudistes en Acadie ne soit jamais oubliée. Il me semble qu'on a vite tourné la page après la fermeture du Collège de Bathurst en 1974. Faute d'un monument reconnaissant tout le passé culturel promu par ces valeureux religieux éducateurs, je voudrais sortir du silence le mérite de ces hommes, au nom de nombreux anciens, et ainsi reconnaître d'emblée tout ce que nous vivons de cet héritage aujourd'hui.

Je dis de tous mes éducateurs eudistes ce que j'écrivais en hommage au père Maurice Leblanc, mon ancien directeur de fanfare. Nous savons que la culture, qui est l'expression d'un peuple, a besoin d'être portée ou transmise par des individus qui en sont pénétrés, imbibés comme l'éponge l'est de l'eau. Comme plusieurs de ses confrères eudistes, le père Maurice Leblanc a su être porteur de cette culture, et cela en tout temps, en mettant sa personne au service de différentes manifestations culturelles. En la personne du père Leblanc, c'est la congrégation des pères Eudistes que nous voulons honorer et cela depuis la fondation du Collège de Caraquet jusqu'à la fermeture du Collège de Bathurst.

Le père Maurice Leblanc a fait de la butte du collège notre place des Arts, où se sont produits aussi bien les artistes acadiens que des artistes de réputation internationale. À travers lui, nous voulons reconnaître une œuvre qui dépasse le temps et l'histoire. Avec lui, nous reconnaissons ces pairs, ces hommes de goût, ces hommes d'une grande disponibilité, ces hommes d'un dynamisme que seuls possèdent les êtres de grande valeur. Dans un cadre éducationnel méthodique et exigeant, ces éducateurs ont permis à notre culture de dépasser la survivance et de susciter l'émergence des leaders et des artistes, pour qu'ils soient la composante la plus créatrice de notre peuple. Quand on arpente notre héritage culturel, il est de bon aloi de s'accrocher à la solidité de la présence des pères Eudistes en Acadie. Un ancien élève du Collège du Sacré-Cœur, Calixte Duguay, poète-chansonnier acadien de grand talent, a écrit :

Il ne faut surtout pas quand un jour dans le ciel
On a vu son étoile éclairer davantage
Croire que tout est dit jusqu'au bout de son âge
Ce n'est pas pour demain les lendemains de miel.

À la suite de l'héritage reçu des Eudistes, pour donner des « lendemains de miel » à ces belles pages d'histoire, il n'en tient qu'à nous, anciens et anciennes, d'œuvrer pour conserver notre réalité culturelle afin qu'elle demeure aux yeux de tous notre manière d'être au monde.

Je remercie mes éducateurs et mes éducatrices de n'avoir pas endormi en moi mon goût de liberté. Grâce à eux, dans ma manière d'être au monde en toute liberté, j'ai toujours été à l'écoute de mon cœur, de mes rêves et de ma créativité.

Une manière d'être au monde

• *ma vocation*
• *mon Église*

Dans un univers passablement absurde, il y a quelque chose qui ne l'est pas, ce que l'on peut faire pour les autres.

André Malraux

Musique : une découverte faite grâce à madame Corinne Jean, le grand prix du disque, Millénaire du baptême de la Russie (988-1988). La lumière du Christ nous illumine tous avec le chœur de l'Église de Moscou.

Ma vocation sacerdotale remonte au jour de ma naissance, le 15 août 1933. La première célébration a été sur les genoux de ma mère, quand elle m'a accueilli comme le fruit de son amour. Le vocable vocation, qui vient du latin « vocatum » et qui signifie *appelé*, est dans mon cheminement de foi un appel de Dieu exprimé dans les personnes qui m'ont entouré. J'ai toujours vu comme un jaillissement de vie dans les appels de Dieu. C'est Dieu qui me dit à travers mes parents, les sœurs Saint-Joseph et Saint-Georges, et Mgr Camille-André Leblanc : *Laisse-moi respirer dans ton visage. Prends-moi dans ta beauté !* C'est Dieu qui, au-dedans, me souffle mon nom dans un appel qui m'entraîne et qui m'invite à faire des choix qui ont de l'avenir.

Étant en 7e année à l'Académie Sainte-Famille, j'écrivais une lettre à Mgr Camille-André Leblanc afin qu'il m'aide à défrayer le coût de mes études, qui devaient me conduire à l'ordination sacerdotale du 15 août 1957 en la paroisse Saint Jean-Baptiste et Saint-Joseph de Tracadie. Devant un premier refus de Mgr Leblanc, je revenais à la charge et, dans sa réponse, je décrochais un oui, mais il soulignait que j'étais têtu comme un Breton. Les Saulnier, serions-nous de la Bretagne ?

Après les études classiques à l'Université du Sacré-Cœur, à Bathurst, j'allai poursuivre des études théologiques au Grand Séminaire de Rimouski. J'ai été accueilli dans ce milieu avec beaucoup de fraternité et d'ouverture aux aspirations qui m'habitaient. J'ai senti cette parenté entre les mentalités gaspésienne et acadienne. J'ai conservé de mes études au Grand Séminaire des souvenirs qui m'aident, encore aujourd'hui, à vivre ma vocation.

Pendant qu'au Grand Séminaire de Rimouski, j'étais un *peu beaucoup* la plante dans une serre chaude, je revenais en vacances dans ma famille. C'est alors que j'ai fait la rencontre du père Henri Vital, aumônier à l'Hôtel-Dieu Saint-Joseph de Tracadie. Un Breton d'origine qui avait le faciès et le caractère aussi mal équarris que les falaises de son village d'origine sur la Manche, Cancale. Ancien professeur de littérature au Collège de Rigaud dirigé par les Clercs de Saint-Viateur, le père Vital m'a ouvert au monde de la littérature que j'avais déjà goûté en Versification, en Belles-Lettres et en Rhétorique. Plus tard, étant vicaire à Dalhousie, je le retrouvai aumônier à l'Hôpital de Dalhousie où chaque lundi, au souper et en soirée, je partageais sa passion pour les écrivains comme Léon Bloy, Mauriac, Bernanos et Péguy. Pendant l'année 1955, l'année du bicentenaire de la Déportation, il a pu écrire un *pageant* où, comme lecteur participant, j'ai savouré sa vision de l'Acadie non pas doloriste, mais exaltante et conquérante. Étant de souche francophone, il portait en lui nos aspirations, nos espoirs et notre entêtement. Les mots devenaient pour lui un arsenal pour mieux camper les personnages et saisir les nuances des événements qui ont fait notre histoire.

Le père Vital, c'était un fougueux qui piaffait comme un jeune poulain afin d'affirmer sans compromis la culture francophone et acadienne comme des forces de vie. Il m'a appris que, bien que je sois différent comme Acadien, j'ai aussi à payer le prix de mon identité dans une résistance pas seulement rêvée, mais toujours soutenue et engagée dans le quotidien. Dans le creuset de son humanisme où je puisais à volonté, j'admirais sa façon de jongler avec les mots afin d'exprimer notre réalité comme une bataille toujours à mener. Il conjuguait dans sa vie de prêtre, dans son existence et dans ses gestes quotidiens, la culture et la foi. Derrière l'évidence des mots et son militantisme, se vivait une belle et grande culture dans une révolte attentive afin de ne rien sacrifier à son identité.

Tout frais émoulu, arrivant du Grand Séminaire de Rimouski, je vivrai ma première expérience pastorale en la paroisse de La Décollation de Saint-Jean-Baptiste à Dalhousie. C'est par le biais de mon premier curé, Mgr Aurèle Godbout, né à Saint-Éloi au Québec, que je voudrais vous situer dans cette Église qui, en 1957, sera mon lieu d'engagement pastoral.

Il faut situer le travail apostolique de Mgr Godbout dans la période de la vie de l'Église avant le Concile Vatican II, dans un monde où l'Église était un monde de pouvoir, une Église qui avait droit de cité dans toutes les sphères de la vie. Une époque où l'Église, institution, pouvait circonscrire l'homme et sa conscience. Une époque où la religion était en somme une sécurité nationale. Une Église où la tradition et le passé religieux définissaient l'homme. Il est nécessaire de préciser que ce contexte religieux était empreint d'autorité et de soumission. Aujourd'hui, c'est l'Église, non comme pouvoir, mais comme service de libération, une discrétion de Dieu qui me laisse à ma pleine responsabilité, donc différente de cette Église des années 50.

Mgr Godbout était issu d'une famille liée à l'Église par des pratiques, par des consécrations de vie, de nombreuses vocations religieuses et sacerdotales. Un critère officiel d'un compromis qui marquait jadis l'histoire d'une famille. Je dirais que la toile de fond de sa vie, qui est conséquente de son milieu, est faite d'une foi profonde qui est presque une aventure historique. Et cela, à une époque où la foi était la structure cohérente et dynamique d'un peuple, une foi qui était grosse d'espérance, mais aussi une foi qui était conquérante.

Je voudrais demeurer dans la lignée d'une réflexion non pas anecdotique, mais plus accrochée à l'intériorité de la personne afin de me permettre une certaine interprétation d'un comportement étonnant parfois, mais témoignant d'une vie pleinement engagée.

Il y avait chez Mgr Godbout une expérience intérieure et sociale forte. Il est peut-être impossible de situer dans le temps la primauté de l'une sur l'autre. L'expérience intérieure et l'expérience sociale, je le crois, étaient simultanées. Mais une constante peut se dégager : sa foi chrétienne a façonné sa propre ligne d'engagement auprès des siens. Sa foi plus intériorisante se traduisait dans sa dévotion eucharistique (organisateur de Congrès), dans sa dévotion mariale (Notre-Dame de l'Assomption, patronne du peuple acadien) au Sacré-Cœur (Les Ligues du Sacré-Cœur). Mais cette foi débouchait sur une action exprimée dans un militantisme qui dans le temps s'inscrivait dans la radicalité. Une foi qui était synonyme du devoir et même de gloire. Il était cornélien dans sa motivation. Une foi chrétienne qui était à certains moments de sa vie enthousiasme et dynamisme conquérants. Sa foi était intégrée dans une action catholique manifeste et elle était *englobante* ; elle assumait toute la réalité nationaliste de l'époque (La Patente), tout le vécu de la collectivité francophone au cœur d'une puissance anglophone qui détenait les commandes de l'économie et les leviers de décision dans le domaine scolaire et municipal. Chez lui, il y avait tellement *interrelation* de la foi et de la langue qu'il était impossible d'établir des frontières entre la foi et la langue. Nous avions l'impression que sa foi était *ensouchée*, enracinée dans la réalité politique. Ses convictions nationalistes avaient pour ainsi dire une coloration divine.

Il y a un fond de scène qu'il ne faut jamais perdre de vue pour comprendre ses interventions : ses choix exclusifs, car ils étaient exclusifs si nous les situons dans un milieu à mentalité anglo-saxonne. Pour lui, c'étaient des choix d'Église et en même temps des choix sociaux. Dans son travail pastoral, depuis les débuts jusqu'à la fin de sa vie, les rudes confrontations et les conflits étaient commandés par un goût combatif personnel, mais ils reposaient aussi sur une foi qui justifiait tout, même des ruptures d'amitié étonnantes.

Dans sa vie de prêtre, le culte avait une place qu'il a toujours privilégiée. Pour lui, le culte était une manifestation culturelle. Dans l'Église d'hier, moule de la société, ses célébrations étaient porteuses d'une espérance triomphale au cœur d'un peuple affirmant ainsi son identité. Sa prestance faisait de lui un célébrant d'une grande dignité avec l'apparat de sa prélature. Déjà avant les changements liturgiques du Concile Vatican II, il avait saisi l'importance du critère de l'ambiance. Le visuel avait une place importante dans ses liturgies à l'occasion de Noël. Doué d'une belle voix de ténor, il savait exploiter cet atout au service de la piété. Son désir du beau l'a amené à doter ce lieu de culte à Dalhousie des grandes orgues Casavant et de beaux vitraux. Pour son époque, il était certainement d'avant-garde en liturgie.

Doué de dons oratoires dans sa prédication paroissiale, dans les retraites qu'il a animées, dans ses conférences, Mgr Godbout ne laissait pas de place à des choix personnels ; cette parole, elle était impérative, elle commandait. Il savait tout mettre au service lors de certains moments privilégiés dans ses prises de parole : mise en scène du message pour mieux éveiller chez l'auditeur des convictions dormantes et menacées. J'ai souvenance, quand il s'agissait des élections au Conseil scolaire ou au Conseil municipal, qu'il allait chercher le vote du contribuable par la force de ses convictions nationalistes. Sa parole était souvent tranchante, toujours remplie d'audace mais jamais tiède. Tout cela était enrobé d'une éloquence soit au service de l'Action catholique dans le diocèse, soit dans les paroisses.

Mgr Godbout a transposé son absolutisme religieux dans la politique municipale, dans le domaine éducationnel, dans le domaine hospitalier. Pour défendre sa foi et sa langue, il était toujours sur la ligne de front. Pour lui, tout cela était une seule et même chose.

Je termine cette incursion dans l'Église avant-concile avec cette citation du chanoine Jacques Grand'Maison : « le feu d'une foi au cœur des combats de justice comme des aventures amoureuses ». Cet homme inimitable, Mgr Godbout, je l'ai observé pour ensuite vivre le militantisme qu'il m'avait communiqué.

Plus tard, dans mon agir pastoral, d'une façon parfois malhabile, j'ai toujours voulu éveiller les gens à être les acteurs de leur propre vie de foi et non des consommateurs assis. J'ai mis l'accent sur la personne, sur le sujet-agissant dans le mystère de l'intériorité. Dans son roman *La Tentation de l'Occident,* André Malraux écrit :

> *À l'origine de votre recherche je trouve un acte de foi, non dans l'existence d'un principe mais dans la valeur que vous lui prêtez.*

En effet, rien ne fige tant la foi que si elle devient un principe et non plus une valeur qui fait vivre pleinement, une manière d'être au monde.

À cet effet, j'ai toujours évacué cette part gendarme de mon être de pasteur afin que les hommes et que les femmes soient intimement bouleversés par l'Évangile et non par de contraintes venant de moi ; l'Évangile ouvert comme un bal sur la place et où chacun trouve son pas de danse. Mon respect des personnes, hérité de mes parents et de mes éducateurs, n'a jamais été pour moi une notion galvaudée. Dans sa réalité et au cœur de mes valeurs, ce respect vise avant tout à l'autonomie dans la foi qui va dynamiser la démarche des croyants et des croyantes dans une fidélité à eux-mêmes et au Christ, une démarche qui a développé chez moi une attitude de confiance.

Comme bien des agents de pastorale, j'ai voulu, avant d'être une fonction dans l'Église, me vivre moi aussi comme un sujet-croyant engagé dans une pastorale précise : je préside, je célèbre, j'accueille, j'écoute, je partage. Je me souviens d'avoir écrit dans un bilan pastoral ce message : *Le prêtre qui est votre pasteur, est d'abord un être humain qui vit les mêmes secousses que vous : quand la terre tremble, il a peur comme tout le monde. Comme vous, j'ai besoin de confiance en moi, j'ai besoin d'amour et de tendresse pour continuer à marcher avec vous. Comme prêtre parmi vous, je veux être un rassembleur, un bâtisseur de la communauté chrétienne avec vous. Je veux être une présence espérante dans tout ce que nous vivons. Mais souvent je me pose la question : comment assumer mon rôle sans brimer les initiatives des autres ? Comment travailler en solidarité avec les autres ? Comment faire vivre en chacun de vous ce qu'il y a de meilleur. Comment trouver l'équilibre entre les différentes tendances et les différents âges de notre paroisse ?* Porteur de toutes ces questions, c'est dans ces champs d'activités pastorales que j'ai pleinement vécu l'appelé que je suis dans une fidélité exigeante à moi-même. Je peux nourrir les plus beaux projets, si ma présence à ce que je dois être n'est pas empreinte de fidélité à ce que je suis, tout n'est que fumisterie. C'est à partir de la vérité de mon être que je puis aspirer vers des « ailleurs » qui sont appels de Dieu. J'ai compris, dans ce métier de l'activité pastorale, que ce n'est pas la théologie qui évangélise mais ma présence vraie, simple et aimante à l'autre dans le fragile de son vécu. À travers ma disponibilité, de nouveaux chemins s'ouvrent et donnent des lendemains à mes rêves dans une fidélité assumée.

La personne incarnée que je suis est tiraillée entre les besoins de permanence et de changement. Cette permanence dans mon *oui* à l'appel a été un facteur de cohérence et d'identité. Elle m'a permis de mieux me reconnaître dans une grande fidélité à moi-même. Cette permanence a été l'assise de nombreux projets au cœur de mes engagements au cœur de mon Église, dans mon peuple au service de la justice sociale et de la culture. Mais, en même temps, animé d'une force de création, j'ai toujours été mû par des facteurs d'évolution et de progression. C'est ainsi que l'histoire du croyant que je suis n'a pas été un long fleuve tranquille, car mon identité a toujours été une affaire de compromis, de négociation et de réconciliation intérieure. Toute ma vie à la quête de mon identité, qui a été soupirante d'espérance, ces trois ingrédients nommés font partie de la recette de mon bonheur. Un bonheur souvent ignoré, un peu comme l'écrivait Jacques Prévert :

J'ai reconnu mon bonheur au bruit qu'il a fait en partant.

La compromission, non pas dans le sens de la lâcheté chantée par Léo Ferré, mais dans le sens d'une adhésion voulue, la négociation afin de vivre en fidélité avec moi-même, la réconciliation intérieure afin de ne pas troubler la paix qui est mienne.

Dans ce combat, je me savais vulnérable et aussi bénéficiaire de cette vulnérabilité. Fragilité ou vulnérabilité n'est pas synonyme de faiblesse. Parler de fragilité est conforme à l'histoire de l'humanité, car la grandeur des héros repose sur leur fragilité ; et quand on nie cette fragilité, c'est bien plus par peur que par fidélité à ce que nous sommes. Cette vulnérabilité m'a ouvert aux autres et à la confiance.

Le premier compromis a été d'accepter, devant la fin de non-recevoir de mon évêque, de ne pouvoir réaliser mon désir d'être prêtre dans une communauté enseignante comme les pères Eudistes. Après avoir bénéficié de son aide pour payer les frais de scolarité de mes études collégiales, j'ai décidé de m'orienter vers le clergé diocésain. Un choix imposé qui fut récompensé. De Dalhousie, au couvent Notre-Dame, à l'école Notre-Dame, au Petit Séminaire Saint-Charles, au collège de Bathurst, à l'Éducation permanente de l'Université de Moncton, j'ai été l'enseignant des cours de sciences religieuses et de lettres françaises. De toute façon, par d'autres chemins, j'ai toujours été un enseignant.

Qu'en est-il de mon Église où je vis ma vocation ?

Mon Église, est-ce un lieu de vie ou un lieu qui contrôle ce qui se vit ? Pour être un lieu de vie, l'Église doit être « au large » de la vie, là où les gens vivent. Trop souvent, mon Église observe et censure la vie réelle selon une éthique de « prêt-à-porter ». Ce que mon Église pourrait apporter de dynamisme et d'espérance ne passe pas, car elle se ferme aux intuitions qui montent de ce qui se vit aujourd'hui. L'Église ne doit pas se vivre en parallèle de ce qui se vit. Il est urgent de la rapatrier dans le tourbillon de la vie comme une charrue qui ouvre des chemins de salut. L'Église est absente des signes de notre temps et manque ses rendez-vous avec l'histoire. Dans ses décisions, je constate un piétinement qui est de mauvais augure pour la crédibilité de l'Église et de notre agir pastoral.

En notre Église, dans la lecture faite des signes de notre temps, il ne faut pas refuser la chance de la différence et la naissance de l'originalité. Il faut pratiquer dans notre Église ce que Paul Ricœur appelle « l'hospitalité des convictions » afin d'accueillir vraiment la différence et l'originalité. J'ai vécu cette hospitalité des convictions en exprimant parfois, dans le respect des différences, ma dissidence dans certaines orientations de mon Église.

Il me semble que les chrétiens et les chrétiennes dans l'Église aujourd'hui sont passés de la peur à la confiance. Le « N'ayez pas peur » de Jésus, repris par Jean-Paul II, confirme cette invitation à la confiance. L'expérience chrétienne devient un choix plus libre, moins timoré. Ayant laissé de côté les contraintes d'une religion à pratiquer, je suis en face d'une pratique religieuse à vivre. Est-ce que, dans nos communautés paroissiales, nous serions parvenus à un choix en face de Dieu exprimant une maturité certaine dans notre expérience chrétienne ? Un regard positif sur la communauté Saint-Louis à Brantvillle me pousse au constat suivant : il y a là une vraie recherche de Dieu qui est plus que le stéréotype d'un comportement social. Il y a là l'expression d'un besoin de la personne qui s'inscrit au plus profond de sa croissance humaine. Je porte en moi, comme eux, ce goût, ce besoin d'être relié à quelqu'un. Cette relation devient par le fait même une expérience religieuse. Quand elle s'exprime dans des rites, elle appelle à la religion. Quand elle se vit en assemblée célébrante, elle est l'Église. Comment se fait-il que les gens soient encore dans nos églises aujourd'hui compte tenu d'une certaine désaffection ? C'est un signe de clairvoyance que de poser la question. Ce n'est pas la simplicité ou la monotonie de nos célébrations qui retiennent les baptisés à l'église. Je suis comme vous en face d'un mystère qui désarme mon besoin de tout savoir. Peu à peu libérés des contraintes d'une religion commandée, nos chrétiens et nos chrétiennes sont à vivre une religion qu'ils veulent choisir. Du moins, je sens qu'une libération est amorcée dans ce sens. J'y vois un printemps dans l'Église. À l'intérieur des changements qui sont à vivre, je n'ai jamais vu l'Église en termes de fonctions et de structures, une vision qui m'aurait situé dans un monde de banqueroute. J'ai toujours regardé l'Église dans le cheminement de son histoire, porteuse de l'Évangile, ce qui est toujours sa mission. J'y vois un renouveau, une nouvelle manière d'être présente à partir d'un peuple sacerdotal, un peuple de baptisés qui est appelé à vivre le « vous serez mes témoins ». C'est trahir la mission de l'Église que la penser à partir de structures à maintenir au lieu de susciter le dynamisme de l'engagement à partir de la vocation baptismale. C'est là l'unique mission de l'Église servante que nous sommes appelés à vivre aujourd'hui dans cette vocation des baptisés que nous sommes.

Qu'on le veuille ou non, notre Église est confrontée à des décisions importantes au début de ce 3e millénaire. La prudence est nécessaire dans des décisions à prendre, mais il y a une urgence qui nous dit que trop de prudence risque de constituer la pire des imprudences. Si l'Église est vraiment le peuple en marche, elle doit être en marche vers l'avenir dans ses décisions.

Devant l'effondrement du nombre de prêtres, qu'allons-nous faire ? Je pense qu'un des motifs majeurs de la fatigue et du découragement de certains prêtres aujourd'hui vient de ce qu'ils ne voient pas comment le ministère qu'ils exercent, toujours avec un dévouement digne d'admiration, pourra être assuré demain sans changements majeurs dans leur manière d'être prêtre. Il nous faut aussi penser aux jeunes prêtres qui ont besoin de se projeter dans l'avenir pour assumer pleinement leur vocation dans un corps pastoral où les laïcs seront bientôt majoritaires.

Dans notre Église, le sacerdoce ministériel, c'est une responsabilité avant d'être une fonction. Le prêtre porte, comme ministre ordonné, la responsabilité de la foi et d'une Église à naître. Il est dans une communauté chrétienne une présence qui signifie la dépendance de l'Église envers Jésus Christ, qui est la source de sa mission et le fondement de son unité. Je ne nie pas que les chrétiens rassemblés peuvent exprimer une foi authentique et leur volonté d'unité. Ils peuvent proclamer la parole de Dieu et celle-ci prend pour eux toute son efficacité. Ils peuvent faire offrande de toute leur vie à Dieu, et leur prière garde toute sa valeur. Et pourtant, l'absence du prêtre fait que leur rassemblement ne peut être communauté eucharistique. Il y manque un élément significatif de leur référence au Christ et de leur attachement à l'Église. L'Église catholique romaine est, selon sa tradition, une communauté baptismale et aussi une communauté eucharistique. Nous sommes une Église à deux tables : la table de la Parole et la table du Pain rompu. Il est certain que le Christ est le vrai célébrant, le prêtre est son instrument. Il n'est pas seul, la communauté est aussi instrument du Christ. Tous célèbrent l'Eucharistie, en ce sens que « tous font tout », mais pas de la même façon et pas au même titre. Chacun le fait avec la grâce de sa mission propre. Devant le manque de prêtres pour vivre cette église eucharistique, il est urgent de pallier à ce manque. Sans nier la valeur des vocations sacerdotales chez les jeunes, l'Église était déjà en situation d'un tel manque lors du Concile de Trente, comme en fait foi cette citation du prophète Jérémie : « Les petits enfants ont demandé du pain et il n'y avait personne pour le leur rompre. »

Les évêques d'alors rassemblés demandaient un certain déplacement quant aux ordinations et une nouvelle figure du sacerdoce ministériel. Dans le contexte de notre société, nous ne pouvons compter sur un prochain revirement dans la courbe des vocations sacerdotales. Tout cela nous oriente vers des situations nouvelles dans lesquelles il faut discerner ce que l'Esprit dit à l'Église. L'ordination d'hommes mariés pourrait être une décision à prendre, et cela n'a rien à voir avec le mariage des prêtres. Un embargo ne nous permet pas de regarder vers l'ordination des femmes. Et pourtant, les femmes jouent un rôle important dans la vie et dans la société, et leur rapport avec l'Église devra prendre une forme nouvelle, un engagement dans l'égalité. Dans un souci d'équité, notre Église devra écouter une parole de femme plus exigeante, plus critique, une parole qui refuse de se soumettre sans chercher à comprendre ce que les femmes doivent vivre dans cette Église, aujourd'hui. Une nouvelle figure du sacerdoce ministériel dans notre Église, même au cœur des aménagements pastoraux, est urgente. Qu'allons-nous faire ? Quelle est notre prise de parole ?

Devant la communauté chrétienne qui se disperse, où est la réalité de la paroisse ? La paroisse dans son rapport avec ceux et celles qui viennent à la messe, mais aussi avec les baptisés non pratiquants et les chrétiens bien loin de nous, gens du dehors qui cherchent leur place dans la paroisse, dans les différents passages de la vie. La paroisse n'est pas seulement pour les baptisés, elle doit aussi être présente aux réalités sociales du milieu. Elle ne prétend pas englober toute la population, mais elle ne serait pas elle-même si elle ne tenait pas compte de l'ensemble des gens qui sont sur son territoire. Que faire devant cette disette pastorale de nos jeunes dans nos rassemblements ? Je vis parfois un constat d'échec dans la transmission de cette mission d'église chez nos jeunes. Le fil de la transmission est cassé. Qu'allons-nous faire devant cette disette pastorale ?

La mission de l'Église consiste en l'annonce de la Bonne Nouvelle à toutes les femmes et à tous les hommes, de toutes les cultures et de tous les temps. Cette Bonne Nouvelle consiste en un nom : Jésus Christ, en qui nous entendons le dessein de l'amour de Dieu sur chacun de nous et sur l'humanité entière. Annoncer cet amour infini de Dieu et son appel à vivre de sa vie, voilà l'unique mission de l'Église. La mission de l'Église n'est pas de dénoncer et de taper sur les doigts des gens. La mission de l'Église est d'annoncer et de proclamer qu'un fils et une fille de Dieu, un baptisé, une baptisée, ont une valeur infinie. À partir de cela, nous comprendrons que tout être humain est aimé également de Dieu. C'est mettre la charrue avant les bœufs que de considérer l'Église comme une puissance d'ordre moral avant d'être l'annonce de Jésus mort et ressuscité. La morale découle de la découverte évangélique comme une suite logique et non comme un corset dans lequel Dieu voudrait nous contenir.

Les prises de position du pape et des évêques sont essentielles, mais elles sont secondaires par rapport à l'engagement religieux et moral du « PEUPLE DE DIEU » dans son ensemble y compris le pape, les évêques, les prêtres, les laïcs. Les prises de position officielles sont irremplaçables, mais elles restent lettre morte sans notre engagement sur le terrain. Quelles sont leur valeur et leur crédibilité sans nous sur ce terrain dans une pastorale de proximité ? Le discours officiel de l'Église ne trouvera de crédibilité qu'au regard du témoignage des fidèles et des baptisés. C'est le travail sur le terrain qui rend crédible les discours de Jean-Paul II. C'est le travail et l'engagement sur le terrain qui donnent du poids quand l'Église dénonce la misère des pays en voie de développement. Ce sont les couples qui vivent leur vie conjugale qui donnent un sens réel à la morale conjugale véhiculée par l'Église.

L'Église ne peut plus fonctionner dans notre monde comme la figure de l'institution contrôleuse qui dit avec autorité le vrai et le faux, le bien et le mal qui constituent un refuge et une sécurité. Il nous faut une relecture des Actes des Apôtres qui nous remettent dans une Église en mouvement, une Église aux nouveaux départs. Les Actes des Apôtres nous montrent que c'est l'existence qui a engendré l'institution et non le contraire. Ne serions-nous pas en ce 3e millénaire dans cette situation où, une fois encore, l'existence nous donne l'occasion de renouveler l'institution-église ? Je comprends bien que dans un moment où les mœurs et les conduites personnelles changent beaucoup, dans un moment où plusieurs connaissent nombre d'incertitudes, nous soyons portés à demander à l'Église de parler haut et fort, de rappeler « l'essentiel et le définitif », ce qui ne bouge pas et n'a jamais bougé, croit-on. À cette requête, il peut y avoir une autorité complaisante pour donner une réponse assurée aux inquiets. Ce n'est pas ainsi que l'on éduque, selon l'Évangile, les libertés des baptisés que nous sommes. L'Église n'est pas là pour combler ou calfeutrer. Car calfeutrer, c'est boucher, c'est fermer, alors que la foi chrétienne, comme la vie elle-même, est un chemin ouvert, un chemin en mouvement axé sur le monde. Je ne dis pas que l'Église n'a pas un rôle d'éducation noble, qu'elle ne peut pas donner aux normes morales connues une sanction religieuse, qu'elle n'a pas à appeler sans cesse le lien entre l'amour de Dieu et l'amour du prochain et davantage. Je ne dis rien de cela. Mais je dis ceci : une chose est de rappeler les exigences fondamentales et de jouer ce rôle de l'ordinateur qui contient déjà le programme des réponses définitives, et cela à toutes les questions. Ne confondons pas, s'il vous plaît, la vivante PAROLE DE L'ÉVANGILE avec un logiciel.

Nous ne devons pas fermer les yeux sur ce qui ne va pas. Il est de bon augure de nous interroger sur les causes et les raisons de notre situation et sur le rapport de notre Église avec notre monde. Notre monde post-chrétien cherche de plus en plus ses valeurs en dehors de l'Église et entend son discours, mais ne l'écoute pas. Notre Église n'a plus le monopole de l'expérience spirituelle et même chrétienne. Elle est une voix crédible parmi plusieurs. Dans cette mixité spirituelle, comment va-t-elle parler au monde ?

Une manière d'être au monde dans ma vocation m'a invité à vivre la paroisse dans ses réalités sociales et culturelles. Je serai d'autant prêtre-célébrant si, comme on le dit, je suis *dans le jus* avec les gens. L'intégration d'un pasteur au cœur de sa paroisse va jusque-là. J'ai voulu m'engager dans les réalités sociales et culturelles afin de vivre à ma façon l'Incarnation du Christ, à mon tour de me faire « chair » avec les gens au cœur de leurs besoins. À Robertville, à la suite de la visite paroissiale, j'ai été interpellé par les besoins des personnes âgées. En prenant l'initiative de la fondation de La Villa Sormany, j'ai comblé ce manque dans Robertville et ses environs. Plus tard à Sheila, j'ai présidé le projet du Manoir Bellefeuille afin de permettre aux personnes autonomes et à revenus moyens d'habiter des résidences agréables. En participant à la Fondation Roger-Comeau, j'ai collaboré à cette œuvre humanitaire afin d'aider les jeunes de la Péninsule atteints du cancer et de les soutenir financièrement dans des traitements coûteux. Pendant mon séjour à Caraquet, j'ai pu être un actant dans la réalité culturelle en réconciliant la foi et la culture, et c'est là que j'ai découvert que Caraquet, c'est une fête culturelle au cœur de l'Acadie. Déjà à Robertville, je m'étais nourri de ce souffle culturel avec les jeunes qui avaient créé une comédie musicale On se « garroche ». Des noms me reviennent : Angèle Bertin, Roland Bryar, Lilianne Cormier, Ginette et Louise Frenette, Gilles Vienneau et Daniel Pitre. Le regretté Martin Pitre avait fondé une troupe de théâtre que j'ai grandement appuyée. En communiant à cette vie sur le terrain, la paroisse n'est pas un lieu d'exclusion, mais un lieu d'intégration totale. Quant à moi, la paroisse est devenue plus chrétienne, car plus porteuse de vie en abondance. Quand la communion s'établit entre toutes les forces vives du milieu, la paroisse est vraiment une communauté chrétienne.

Notre Église ne peut rester muette par rapport à ce que nous vivons. Déjà à l'occasion du 89e anniversaire de *Rerum Novarum,* Paul V1 écrivait : *Il est difficile de prononcer une parole unique comme de proposer une solution qui ait une valeur universelle*. Même devant cet aveu d'impuissance, l'Église ne doit jamais renoncer à se tourner vers l'avenir dans ses décisions. Pour reprendre l'expression chère à Jean XXIII, selon les *signes des temps,* il faut chercher ce que l'Esprit dit aux Églises et se tourner vers le renouvellement. N'y aurait-il pas trop de gestionnaires et pas assez de leaders visionnaires dans notre Église ? Nous avons à vivre des changements dans l'Église non comme une faillite, mais comme autant de signes d'espérance, dans une lucidité courageuse, donc audacieuse. Une réflexion de Fernand Dumont, sociologue et penseur chrétien, nous invite à voir au-delà de l'intégrité frileuse :

> Ce qui manque à cette Église en son visage officiel : c'est l'angoisse. Cette angoisse qui jette sur les chemins de grand vent, sur les routes de l'évangélisation. L'audace lui fait défaut, comme si elle avait perdu de vue la parabole du trésor enfoui. Il lui manque un peu de folie. Il lui manque, pour emprunter l'admirable expression de Thérèse d'Avila, « d'aventurer la vie ».

Si j'ai démasqué pour la énième foi la fragilité de notre Église, c'est parce que je l'aime et que mon seul désir au cœur de ma vocation, c'est de vivre heureux et espérant dans cette Église. J'ai voulu me vivre non pas dans une Église de mise en garde et d'exclusion, mais dans une Église de communion et de réconciliation.

Partout où je suis passé, j'ai vécu ma vocation où la passion des autres m'a conduit simplement à être là. Je n'ai pas voulu vivre ma vocation comme un voyageur indécis qui s'abrite sous un arbre ou sous un toit quelconque comme un visiteur, simplement par crainte des rigueurs du monde étranger et étrange. Je n'ai pas voulu vivre en observateur mais en adhérant totalement à des attentes souvent comblées. Ces lieux d'enracinement de ma vocation ont été Robertville, Sheila, Caraquet et Brantville.

Ayant laissé tomber une carrière universitaire comme enseignant, j'épouse pleinement un lieu d'évangélisation dans sa dimension sociale et culturelle, la paroisse Sainte-Thérèse-d'Avila de Robertville ; une terre fertile en jeunes talents au cœur d'une population aux accents de vérité, où la véritable joie de vivre fleurissait dans les personnes. Robertville, peuple de l'unanimité dans tous les défis à relever.

Chaque jour, il se passait quelque chose à Robertville. Dans une enclave protégée francophone avec des accents aussi doux qu'une belle musique, non loin de Bathurst, j'ai appris avec les gens que la vie est comme une chanson. Encore aujourd'hui, quand j'y retourne, je me laisse bercer dans cet arrière-pays où les talents ont surgi parce que se vivait à Robertville la substance d'un peuple assez fort, assez unique et différent pour inspirer Martin Pitre, Camillien Roy, Christian Roy, Angèle Bertin, Louise Frenette, Réjean Boudreau, Jeanine Boudreau, Roland Bryar, Gary Comeau, Éric Cormier. Pour vous ce sont des noms, mais pour moi, ce sont des créateurs et des créatrices qui ont coloré les êtres, les paysages et les sensations en donnant au peuple acadien sa véritable identité, son visage reconnaissable et idéal. Un peuple se fait en créant quand l'artiste donne à la réalité la fraîcheur originelle. Un jour, j'ai dû partir et aujourd'hui, dans le souvenir des gens que je n'ai jamais quittés, rien de plus beau qu'un poème de Éric Cormier :

Partir
tant qu'il le faut
le geste lent
à la façon de Rimbaud
qui tombe
aux enfers des saisons

partir
la dernière porte qui se ferme
le reste des baisers qui tombent encore
derrière ces mouvements salés
longs manteaux qui traînent par terre

partir
le geste encore précoce
la chaleur
des longueurs qui nous restent à accomplir
pour se vaincre nous-mêmes

partir
la pluie versée
les derniers gestes peut-être
à deux

Après huit ans, le 15 septembre 1982, je quittais Robertville avec ma mère pour regagner la paroisse Notre-Dame de La Salette, et je filais lentement dans le silence. Le silence de ma mère, à ma grande surprise. Tenant à ses pieds comme seul bagage un seau de lait frais de la traite du matin, elle cuvait ses larmes dans la joie du retour au lieu de ses amours.

En la paroisse Notre-Dame de La Salette, j'ai été accueilli comme le petit frère qui revient à la maison. Et comme le disait souvent ma mère, nous sommes « che nous » au cœur de nos racines : la savane et la dune. J'arrive à Sheila, dans une paroisse en pleine effervescence, au lendemain des 2e Jeux de l'Acadie. Pendant onze belles années, j'ai été l'animateur qui, dans une parole de proximité, a fait sauter dans le poêlon les « pop corn » de l'engagement où les baptisés sont devenus les partenaires d'une communauté vivante.

Notre-Dame de Salette, peuple de l'engagement teinté d'humour et de bonhomie.

Le 15 mars 1993, je rentrais dans une paroisse en deuil de son pasteur, Mgr Vincent Haché. J'allais vivre presque pendant sept ans une belle histoire d'amour auprès d'un peuple aux élans créateurs et porteurs d'avenir pour l'Acadie et pour l'Église.

Pour ne pas fausser ma vérité intérieure, il faut le dire, avec les préjugés de part et d'autre entre les diverses localités de la Péninsule acadienne, devant cette nomination de la charge pastorale de la paroisse Saint-Pierre-aux-Liens, le gars de Tracadie que je suis se sentait comme l'enfant à qui on a mis un habit trop grand. J'ai abordé ce pays inconnu avec le cœur du poète afin d'amener à la lumière du jour des forces qui dormaient en moi. Il est vrai que le regard que quelqu'un a sur vous permet à l'autre d'exister pleinement, et cela m'a permis de trouver dans ma « boîte à lunch » la confiance en moi nécessaire pour la randonnée. Si l'écrivain Hemingway a pu écrire que « Paris est une fête », je dirais volontiers que Caraquet a été une fête pour moi. L'intensité culturelle de ce milieu, les racines de nos origines chrétiennes, l'esthétique qui donne du panache à cette ville, tout cela m'a amené à libérer une parole au cœur des événements. Dans ce milieu culturel où combien d'artistes prennent leur envol, je souscris à ce que Anne Hébert écrit dans *Poésie, solitude rompue* :

> *L'artiste n'est pas le rival de Dieu. Il ne tente pas de faire la création. Il demeure attentif à l'appel du don en lui. Et toute sa vie n'est qu'une longue amoureuse attention à la grâce. Il lutte avec l'ange dans la nuit. Il sait le prix du jour et de la lumière. Il apprend, à l'exemple de René Char, que la lucidité est la blessure la plus rapprochée du soleil.*

J'étais souvent assis dans les ruines du vieux couvent, et les murs m'ont enseigné notre histoire pour que, par mon engagement, je la rende efficace et durable. Quand je me recueillais dans le sous-bois du sanctuaire de Sainte-Annedu-Bocage, les merveilles de la vie d'un peuple qui n'a pas fini d'étonner le monde entraient en moi. Je voudrais posséder le prestige de la mémoire du romancier Marcel Proust évoquant les clochers de l'église de Martinville afin de ramener à ma mémoire les beaux souvenirs de mon séjour à Caraquet, comme le visiteur qui marche dans une galerie d'art, et livrer ainsi dans des mots justes la reconnaissance qui m'habite.

Au moment présent, j'exerce le service pastoral depuis quatre ans en la paroisse Saint-Louis de Brantville. Ce peuple au grand cœur me révèle que l'Évangile est une affaire d'amour. Je vis ma pastorale avec mon cœur et, à chaque instant, je me ressource dans la vérité de ces personnes qui sont les merveilles de Dieu sur mon chemin.

En plus d'avoir été vicaire général de mon Église diocésaine pendant neuf ans, j'ai exercé la tâche de responsable de la formation des futurs prêtres qu'on m'a confiée. Je voudrais retranscrire ici une lettre envoyée à un candidat au sacerdoce ministériel en empruntant un nom fictif, afin d'éviter une atteinte à la confidentialité. Souvent, on se révèle à travers le projet des autres.

J'ai beaucoup aimé ta lettre. Tu l'as écrite avec ton cœur. L'être de tendresse que tu es vient faire vivre en moi beaucoup d'amour et aussi me pacifie. Jusqu'à aujourd'hui, c'est dans le silence que j'ai voulu t'accompagner pour accueillir dans cet échange la beauté de ton projet. Après la lecture et la relecture de ta lettre, j'ose risquer une lettre qui te révèle aussi ce que je suis, ce que je vis.

J'accueille, non pas la nouveauté de ton projet, mais le sacré de ce que tu vis en l'intégrant à la nouveauté de notre monde. Ta lucidité te permet de bien nommer les constantes de notre monde et de te choisir comme « appelé » dans ce monde-là. Il ne faut pas que tu t'exiles de ce monde qui est le tien pour vivre cet appel qui t'habite. Mon cher Jacob, je pourrais signer ta lettre tellement elle est proche de mon être de pasteur. À travers ton projet, je me vis pleinement.

Comme Jean, l'écrivain inspiré sur l'île de Patmos, tu dois dépasser l'exil pour vivre à part entière dans le monde d'aujourd'hui et où tu dois faire le choix de vivre ton appel. Si tu me pardonnes cette référence un peu existentialiste, à la manière de Jean-Paul Sartre : « L'important, ce n'est pas de choisir son époque, mais c'est de se choisir en elle. » Avoir un « projet » d'exister, de s'enraciner quelque part et cela dans la fidélité à l'être de chair que je suis et que tu es, c'est légitime et heureux. Je t'invite à accueillir ce « projet » comme Jésus qui se révèle à toi, et cela à l'invitation de l'ange qui discerne avec toi, comme tu l'écris. Jacob, pour mieux répondre à ton appel, ce sacré que tu veux voir se matérialiser, se manifester et s'incarner, tu ne peux vivre en exilé dans un presbytère où tu peux te complaire et où tu t'organises pour maintenir les barricades de l'exil et où tu nourris plus souvent l'isolement que la solitude habitée. Je sens que les structures de l'institution seront pour toi une occasion d'exil. Mais ce n'est pas le cas de tous. Cette mise à part pour l'annonce de l'Évangile dont parle l'apôtre Paul, tu dois la vivre dans l'Église de la rue selon le vrai sens de la mission et non en retrait où tu deviens l'observateur à la loupe d'un monde qui se meurt parce qu'il est vide de Dieu. Quelle crise ?

Avant d'être le pasteur des autres, sois le pasteur de ton cœur. En mobilisant ton cœur au service de ton appel, sois heureux de vivre ta mission dans un monde qui demande de toi l'ESPÉRANCE qui t'habite. Si tu sais mobiliser ton cœur au service d'un appel, alors s'ouvrira en toi la disponibilité au peuple de Dieu, disponibilité qui prend forme concrètement dans le célibat. Un célibat qui ne sera pas absence de relations, mais un lieu d'une grande disponibilité où peuvent naître les plus belles expériences de vie entre les humains. Le célibat n'enlève pas le désir de l'autre mais le limite dans la fidélité à l'engagement. Mon célibat peut être un lieu d'exil, si je me terre dans mes peurs de l'autre qui est un être sexué comme moi ; si je m'isole, célibataire dans mes terres, pour retrouver confort et « endouilletter » mon quotidien.

J'ai fait tout ce détour en acceptant le signe du don total qu'est le célibat dans ma vie, pour revenir à ta vision du prêtre « nouveau » dont tu parles. Cet « ancien modèle » de prêtre dont tu parles, je l'ai rendu nouveau chaque jour avec cette violence dont on parle dans l'Évangile : « seuls les violents raviront le Royaume des cieux ». J'ai intégré tout ce que je suis, l'être de chair que je suis. J'ai assumé les élans et les désirs de mon être qui crient souvent vers la tendresse des autres tout en marchant avec assurance dans la mission qui est la mienne. J'ai vécu parfois en exilé de moi-même. Mais j'ai souvent largué les amarres des « on-dit » pour aller en toute quiétude où Dieu me conduit. Dieu a souvent posé « sa droite » sur mes situations de mort pour me relever afin de crier aux églises la BONNE NOUVELLE, dans ce merveilleux métier qu'est le mien. Plus j'avance dans mon engagement, plus je m'embarque, conscient de la solidité de mon être, où il y a place pour l'amour, l'affection comme des « médiums » par où Dieu passent, mêmes si parfois mes faiblesses s'appellent péchés, ruptures d'alliance d'où renaîtra avec le pardon la vie nouvelle en Jésus ressuscité.

Les quatre saisons ne connaissent pas toutes les fleurs, ni les récoltes les semences, mais elles sont toutes essentielles au cycle du temps dans la croissance. Il en est ainsi de ta vie et de la mienne. Tout engagement, si différent soit-il, est essentiel à la grande mission de Jésus. Je te souhaite dans cet appel que tu portes comme une petite pousse, comme les arbres de la montagne qui ont été coupés portant toujours leurs grands rêves, je te souhaite en Dieu le « surexaucement » de tes désirs, de tes rêves.

Va vérifier la profondeur de ton appel. J'apprécie ton œil critique sur l'institution. Malgré tout, c'est une conviction qui est mienne, sous les apparences de l'institution, il y a un travail de Dieu qui a passé de génération en génération. C'est la qualité de ta nouveauté qui pourra lui permettre, j'entends de cette église-institution, de sortir de ses lourdeurs, de sa non-signifiance souvent, grâce à l'incarnation de ton appel et de ton projet en elle. Mais n'oublie pas d'avoir ce même regard critique quand tu auras institué ton projet. Et même là, tu vas réaliser, avec une certaine sagesse, que tout le nouveau que tu as voulu créer est vite dépassé. Mon seul reproche, Jacob, évite de trop idéaliser ton appel ou ton projet. Le danger, c'est que ton appel demeure l'inaccessible étoile.

Un jour, en vieux routier et ami, je te dis : il faudra jeter l'ancre… Zoël

Je prenais ma retraite de la paroisse Saint-Pierre-aux-Liens de Caraquet le 22 août 1999 tout en demeurant vicaire général du diocèse de Bathurst. Après quelques mois, j'ai reçu une lettre de mon successeur à Caraquet et j'ai été très pressé d'y répondre. Ces textes peuvent nous aider à nous vivre aujourd'hui en l'Église.

Mon cher ami,

Voilà un an déjà que monseigneur André Richard m'ordonnait prêtre pour le service de l'Église de Bathurst. Neuf mois après ce jour – le temps de la gestation –, il me confiait la responsabilité de l'unité pastorale en formation Saint-Simon, Saint-Pierre et Saint-Paul.

Je ne peux te cacher, dés le départ, que je suis heureux de relever ce défi qui n'est pas seulement le mien, mais qui est aussi et surtout le défi de notre Église diocésaine qui ose risquer l'avenir des communautés chrétiennes à l'égard du projet des unités pastorales, surtout en sachant le deuil qu'elles ont en voyant partir deux pasteurs aimés et appréciés et une multitude de services dispensés par le prêtre.

Je me sens parfois comme le jeune Salomon qui succède à son père David, un roi apprécié et aimé de son peuple. Comme Salomon, « je suis un tout jeune homme, presque incapable de se diriger, et me voilà au centre du peuple que Dieu a élu » 1 Rois 3, 7-8. Toujours comme Salomon, je demande au Seigneur un cœur attentif pour gouverner son peuple et discerner le bien du mal. Aujourd'hui, je viens aussi te quémander un peu de sagesse. Tu me connais comme si tu m'avais formé… Écrire l'histoire de ma vocation, c'est écrire l'histoire de notre relation à la manière du prophète Élie et du jeune Samuel. J'ai le désir de t'écrire mes impressions sur le ministère presbytéral et sur l'avenir de notre Église.

Notre amitié me fait souvent oublier que nous sommes l'un et l'autre de chaque côté d'une grande faille culturelle : tes racines vont encore puiser dans un vieux sol gréco-romain de deux mille cinq cents ans ; de l'autre côté de la cassure, mes racines nouvelles, toutes menues, sont orientées vers un avenir encore imprécis. Heureusement que notre affection mutuelle est là pour faire le pont entre nous deux.

C'est lorsque je vais visiter les jeunes à l'école que j'imagine à quel point le ministère presbytéral et la place de l'Église se sont transformés profondément. Je suis trop jeune pour comparer avec le passé, mais je devine ce changement à partir de ce que j'ai lu et entendu.

Lorsque tu étais prêtre (tu vois déjà la faille entre nous deux : jamais les prêtres de ta génération n'auraient osé tutoyer un confrère plus âgé, et moi, je le fais même avec le vicaire général !), une variété de ministères s'offraient aux prêtres selon leur charisme. Vous aviez la possibilité d'enseigner ; toi, tu as enseigné les lettres. Il me semble que la présence du clergé devait être remarquée ; dans le paysage, vous donniez une signification. Cela a sûrement contribué à vous donner une formation académique et personnelle solide. De plus, vous aviez la possibilité de côtoyer ceux et celles qui seraient aux postes de commande de la nouvelle société que vous étiez en train d'éduquer. Le clergé avait une influence considérable et une place de choix dans la société et les instances décisionnelles.

Je ne veux pas idéaliser le passé, cette influence se méritait avec de lourds sacrifices, mais je veux reconnaître les différences avec l'aujourd'hui des jeunes prêtres de notre diocèse. Nous n'avons souvent pas d'autres choix que le ministère paroissial dans notre diocèse et notre présence dans la société est de plus en plus discrète, comme le levain dans la pâte. Lorsque je vais rencontrer des jeunes à la polyvalente, la majorité des ados me prennent pour un enseignant-suppléant... on ne reconnaît plus le curé. Et lorsqu'un jeune pratiquant me reconnaît et qu'il a l'audace de dire à ses copains que je suis un prêtre, les jeunes me regardent tout surpris, croyant voir un déséquilibré. Autrefois, la visite du curé à l'école, ça se préparait et ça ne passait pas inaperçu comme aujourd'hui... le monde et les temps changent.

Et si on demande à ces jeunes de nous parler de Dieu, ils nous disent ce qu'ils ont appris de Lui à partir de la catéchèse : « Dieu est un ami à qui on peut se confier, tout lui raconter de sa vie... c'est comme un frère ou une sœur qui est toujours là lorsqu'on en a besoin... c'est quelqu'un qui nous respecte et qui veut notre bonheur. » On est bien loin du Tout-Puissant, de l'Agneau de Dieu et de la Trinité. Et cette conception de Dieu, elle influence conséquemment la relation des jeunes avec Dieu, elle influence leur religion. Cette relation se nourrit par la prière individuelle et les élans de générosité qui animent les jeunes lorsqu'ils parrainent une cause. S'ils viennent à l'église, c'est pour nourrir une amitié avec la Parole. Et, ici, je pense qu'il y a un changement de cap. Il y a quelques décennies, il était interdit aux gens de lire la Bible. Ce qui primait à la messe, c'était la communion au corps du Christ. On pouvait arriver en retard, partir aussitôt après la communion reçue, on avait alors l'essentiel. Il y a avait une « mystique du corps eucharistique » que l'on ne retrouve plus dans les nouvelles générations. Formés aux disciplines technologiques et scientifiques, les jeunes cherchent à comprendre. Plusieurs m'ont dit que pour eux, l'essentiel de la messe, c'est le temps de la Parole. La célébration eucharistique est un temps ressourçant si la Parole proclamée et commentée les rejoint dans leur vie quotidienne. Plus que la table du pain, c'est la table de la parole qui nourrit les jeunes. Il y a là un changement avec lequel nous devons composer.

De plus, pour nourrir la foi des gens qui viennent encore à la messe, il faut continuellement innover puisqu'on vit dans un monde « néophyte » où la nouveauté « pogne ». En liturgie, nous avançons souvent à tâtons, cherchant à demeurer fidèles aux normes de l'Église et à répondre aux besoins de nouveauté des communautés. Certaines initiatives sont heureuses, d'autres font froncer les sourcils. Ça nous demande une formation solide puisque nous avons peu de modèles pour nous inspirer ; une connaissance beaucoup plus approfondie des choses de la foi est nécessaire pour savoir innover tout en restant fidèles à ce qui est le noyau immuable des réalités chrétiennes.

Lorsque monseigneur Richard m'a ordonné prêtre l'an dernier, il disait, en ouverture de la célébration, qu'il y a des jours où on est fier d'être chrétien. C'est bien vrai ! Et c'est dommage que ce ne soit pas tous les jours. La fierté chrétienne est boiteuse de nos jours. Peu de gens avouent être fiers de l'héritage chrétien ; on se cache presque pour être chrétien. Lorsque l'on se regarde dans le miroir comme chrétien, on se dit parfois qu'on serait mieux de rester à la maison. Pourtant, je crois que l'Église a toujours un message à proclamer, et qu'elle a toujours sa place. Peut-être qu'aujourd'hui son message est original parce que différent des autres dans la société ambiante qui légitime presque tous les comportements.

Ton engagement social me permet de croire que tu partages aussi cette espérance. Je me demande si tu trouverais un moment pour m'écrire les impressions qui sont les tiennes sur le ministère de l'avenir de notre Église de Bathurst au moment de sortir du ministère paroissial. Le prophète Joël insinue quelque part que les rêves des vieux, si mélancoliques soient-ils, suscitent chez les jeunes... des visions. Tes réflexions pourraient nourrir mon ministère de jeune prêtre... Serge.

Cher Serge,

Nous sommes sur le même quai de la gare avec nos bagages. Moi pour un départ à la fin d'une carrière, à la fin d'une mission avec la satisfaction du travail accompli. Toi pour une arrivée dans une mission nouvelle dans l'unité pastorale en formation. Comme tu l'écris dans ta lettre : un défi que tu es heureux de relever.

Tu te sens comme le jeune Salomon et je sais que tu en as la sagesse déjà. Sans m'attribuer des titres qui ne seraient pas en vérité avec la personne que je suis, je porte en moi l'expérience d'un parcours qui, comme celui du roi David au sein de son peuple, a été fait de moments d'exaltation, de grandeurs mais aussi de faiblesses. Prêtres des années 50, j'ai été comme le roi David porté par la réalité sociale de ma fonction, ce qui a pu faire oublier parfois la réalité d'un appel qui venait de Dieu. Étant donné que ma formation était celle des professionnels du temps, je suis entré dans une société où j'ai été accueilli trop facilement ; et nous avions pignon sur rue comme l'avocat, le médecin et l'enseignant. Mais tout a changé et dans ces changements, il y a un retour essentiel aux origines de ma vocation, à Jésus lui-même, et cela depuis quelques années.

L'avenir de notre Église n'est pas à inventer mais à vivre à la lumière de l'Évangile. Ce questionnement qui est le tien aujourd'hui au cœur de ta vie pastorale, je le vivais depuis des années, car il n'y a rien de nouveau sous le soleil. Les pourquoi de ma vie de prêtre ont été plus présents que les réponses reçues. Un questionnement honnête qui m'a permis de vivre lucidement mon ministère où la société était plus que mon Église mon milieu d'intégration. Ma pastorale était avant tout une présence sociale et culturelle afin de célébrer les « merveilles de Dieu » au cœur de son peuple.

Tu as le privilège d'amorcer ta pastorale dans un monde que tu appréhendes en le connaissant un peu, tandis que moi et mes confrères, nous avons été plongés dans un monde changeant sans savoir ce qui nous attendait. Au lieu de vivre ta vie de prêtre selon les exigences sociales préétablies, tu as le privilège de bâtir le prêtre que tu veux être selon les besoins de ton peuple, et cela dans l'instant qui est le temps de l'Esprit Saint au cœur de ton Église. Dans ton cas comme dans le mien, notre seule et unique boussole, c'est la foi. Tu auras souvent à basculer dans la foi, car nous sommes au service d'un projet dont nous ne sommes pas les maîtres. Je souhaite que notre Église soit assez maternelle et clairvoyante pour te laisser « être » vraiment le pasteur qui sait se nourrir de la solidité de la Parole de Dieu pour mieux être proche de notre monde. Cette Église, ce sont les baptisés de tes communautés chrétiennes qui t'accueillent déjà aujourd'hui dans un leadership de confiance, et c'est souvent la seule référence disponible au cœur d'une institution qui se renouvelle. Une certaine institution passe avec le temps mais la mission de Jésus est toujours d'aujourd'hui.

J'avoue que ton rôle pastoral est ambigu, comme l'est toute fonction dans la vie de chaque jour. C'est en jouant des coudes aussi bien dans l'institution que dans la société que j'ai pu trouver ma place comme pasteur dans une grande pauvreté de moyens qui donnait par la force des choses beaucoup d'espace au maître d'œuvre du projet du salut : Dieu lui-même en Jésus, son envoyé. Tu arrives à un moment de l'histoire où une Église meurt et une autre Église naît. Si je suis parti de la paroisse, c'est par fidélité à ce que je ressentais d'ambiguïté en moi où des réalités étaient plus appelées à mourir qu'à naître. Comment faire, Serge ? Comme tu l'écris si bien, t'inspirant du prophète Joël, « mes rêves, si mélancoliques soient-ils, » sont-ils visionnaires, c'est-à-dire porteurs de visions nouvelles, peuvent-ils être d'un certains secours ? Ton rôle sera le rôle du prophète berger qui marche avec les siens mais qui les devance dans une grande liberté au cœur d'une Église qui doit être inventive, créatrice, audacieuse et respectueuse de son passé.

Dans une Église du rituel ou du culte, tu seras appelé à être l'homme d'une parole qui rend libre dans un monde qui étouffe sans le savoir les plus belles aspirations de l'humanité. Dans cette marche sur le terrain, plusieurs viendront marcher avec toi, car ils portent eux aussi une soif non avouée des grandeurs de l'Évangile qui te font vivre.

Un jour, toi aussi, tu devras quitter et je te souhaite de ne pas être seul sur le quai de la gare, car l'espérance à cause de toi aura été allumée au cœur de plusieurs et d'autres marcheront à ta suite. À la prochaine lettre pour porter ensemble, prêtres et laïcs, la vie pastorale... Zoël

Avec le temps, avec l'âge, j'acquiers ce que je pourrais appeler une certaine sagesse. Je relativise bien des choses, bien des affirmations qui, dans mes engagements antérieurs, ne laissaient pas de place à la différence. Dans la logique de la revendication, j'ai appris la tolérance, ce qui a influencé ma pastorale et ma manière d'être au sein de mon peuple. Depuis quelques années, je me suis engagé dans la sauvegarde du patrimoine religieux en Acadie. Un patrimoine religieux qui nous poursuit malgré les grands changements de société qui sont les nôtres et qui a une importance essentielle dans la réalité de notre histoire. Je ne suis pas un historien, mais j'ai eu le privilège, par ma formation littéraire, de me pencher sur l'écriture de notre histoire et de saisir ainsi certaines constantes dans ce que j'appelle notre patrimoine religieux.

C'est quoi, le patrimoine ? Le mot patrimoine est une belle expression qui vient du mot latin « pater », le père qui transmet l'héritage. Le patrimoine représente tout le respect et l'amour que nous portons à ce que nos ancêtres, nos pères, ont édifié. Si nos églises et les vieux couvents, et même notre système d'éducation, ont passé l'épreuve du temps comme véhicules des valeurs religieuses et acquis les lettres de noblesse du patrimoine religieux, c'est grâce à leurs qualités intrinsèques qui deviennent des traits d'union entre le passé et le présent. Le patrimoine religieux nous renvoie à ce que les générations passées ont vécu et a valeur de témoignage attachant que nous avons la mission de sauvegarder si nous croyons à l'intégralité de notre histoire même en ces temps de post-modernité.

Notre coin de pays, l'Acadie, a été un projet à la fois politique et religieux. Toute la conquête du Nouveau Monde a été marquée par la foi de nos ancêtres. Je dirais même que c'est l'élan des Croisades qui a poussé nos ancêtres, les fondateurs, à conquérir le Nouveau Monde. Jacques Cartier en est un exemple concret à Gaspé en 1534. C'est à l'intérieur de la cathédrale de Notre-Dame de Paris que Jérôme LeRoyer de la Dauversière et M. Olier ont décidé du projet de la fondation de Ville-Marie (Montréal). Notre histoire, il faut la percevoir comme un phénomène à la fois religieux et politique. Tout notre patrimoine prend ses racines dans l'univers français où la foi et les désirs d'expansion de la monarchie ne faisaient qu'un tout. Une foi qui a été un élément de civilisation et d'évangélisation.

Accueillons un premier exemple de notre patrimoine religieux à partir de l'enseignement. Dans le domaine de l'éducation, nous étions à la merci d'une culture étrangère qui, sous prétexte du serment d'allégeance à la couronne britannique, allait mener à son terme un génocide culturel et davantage. Plusieurs communautés religieuses expulsées de France ont trouvé asile ici, et ce *pattern* foi-langue-école a eu raison des stratégies honteuses utilisées afin d'anéantir un peuple qui a vécu jusqu'à aujourd'hui dans la fierté de sa foi et de sa culture. Je dirais que c'est de bon aloi que de reconnaître cet apport essentiel des communautés religieuses à ce que nous sommes, à notre identité. Je suis le produit du patrimoine religieux en éducation : un produit de ces institutions promues par l'Église : l'Académie Sainte-Famille sous la direction des Religieuses Hospitalières de Saint-Joseph, de l'Université du Sacré-Cœur, œuvre des pères Eudistes, le Grand Séminaire de Rimouski fondé par le clergé diocésain de Rimouski, l'Université Laval érigée grâce au clergé de l'archidiocèse de Québec qui est à l'origine de la vie chrétienne dans les Maritimes, l'Université Saint-Paul et l'Université d'Ottawa, fondées par des pères Oblats. Si nous revenons à la dimension missionnaire de nos paroisses, nous touchons à ces lieux de toute la vie et aussi à bien des réalités culturelles, économiques et sociales de notre région qui nourrissent encore la vie de nos collectivités.

Ce sont là nos origines et si nous voulons être honnêtes, dans une grande vérité, il faut reconnaître l'apport religieux dans notre patrimoine. Là comme ailleurs dans la société, il y a eu des erreurs de parcours, mais là aussi comme ailleurs, il y a eu beaucoup de générosité et des exploits qui relèvent presque du miracle. À partir des conventions nationales, du drapeau acadien, de l'hymne national, des évêques francophones, des luttes scolaires, du système agricole et hospitalier, des cercles d'études sociales liés au mouvement coopératif et aux caisses populaires, il y a là une dimension sociale de l'Église en Acadie qui est indéniable.

Notre patrimoine religieux, il fait partie de notre identité et il continue à porter notre culture au-delà de nos frontières. Il a fait surgir des *leaders* qui nous ont permis de consolider ce que nous sommes. Je dirais que le patrimoine religieux fait partie de nos gènes. Il serait difficile de radier de ma vie tout ce patrimoine religieux sans mutiler ma personne. C'est toujours à partir du patrimoine religieux que nous pouvons faire une lecture juste de notre histoire.

Quand on arpente le terrain de notre histoire, on ne peut pas commencer avec l'aujourd'hui comme un nouveau départ, mais il faut plutôt s'inspirer de ce qui a été les composantes de notre identité acadienne dans le sens d'une continuité afin qu'il soit le reflet fidèle de notre vrai visage. J'évite toujours de porter un jugement trop sévère sur notre patrimoine religieux. Chaque époque doit être étudiée et scrutée à la lumière des moyens de l'heure. Quand on regarde notre passé, il faut éviter de le juger sévèrement avec les moyens sophistiqués contemporains et croire que tout a commencé avec nous.

Notre patrimoine religieux fait partie de la mosaïque acadienne. Dans cette remise en question que nous vivons et où cette réalité est questionnée, notre patrimoine religieux demeure un acquis de longue date qui a sa place même dans une société pluraliste. À cause de ce patrimoine religieux qui fait partie de notre paysage historique et de notre identité, nous avons pu survivre et aujourd'hui vivre avec le désir d'aller plus loin, et cela dans la fidélité à nos origines. Comme l'arbre *ensouché* dans son sol, nous aussi nous sommes *ensouchés* dans notre humus où nous pouvons reconnaître les racines religieuses de notre patrimoine. Même les décisions politiques ne mènent nulle part si nous ne savons pas reconnaître les vrais chemins de notre histoire. Un avenir difficile et problématique comme le nôtre exige cette reconnaissance de notre passé dans son patrimoine religieux pour mieux nous enraciner et ne jamais être disqualifié comme peuple. Le patrimoine religieux fait partie de la passion de notre peuple et demeure encore au cœur d'une histoire inachevée. Sans son patrimoine religieux, notre peuple perdrait la passion de qui il est vraiment. Je me réjouis de constater que, aujourd'hui encore, notre patrimoine religieux fait partie de nos projets collectifs.

À la suite des projets touristiques, la route des fruits de la mer et la route des artistes et des artisans, je travaille à mettre sur pieds le circuit des visites des quelques églises de la Péninsule acadienne. L'église comme lieu de culte est un bien culturel qui a une forte signification d'identité comme patrimoine religieux. Ce projet, appuyé par le comité d'Animation culturelle du Patrimoine de Tracadie, veut que l'Église poursuive son animation du monde contemporain qui se dissocie de plus en plus de ces lieux de rassemblement en ouvrant les portes à différentes sensibilités afin que personne ne soit étranger à cette réalité de notre patrimoine religieux. Dans la société actuelle, l'Église, comme par le passé en Acadie, doit continuer d'inspirer les activités culturelles. Sans nier que l'édifice-église est un lieu où je nourris mes engagements et mes options chrétiennes avec mes frères et mes sœurs que d'une façon ou d'une autre, sont aussi comme moi chercheurs de Dieu. À travers toutes les histoires des expériences religieuses, qu'elles soient chrétiennes ou autres, il y a des lieux qui portent le sacré de l'expérience humaine bien que toute personne, plus que l'édifice, soit avant tout porteuse du sacré. Dans ma religion qui est de confession catholique romaine, l'église est l'espace où se vit l'assemblée dans sa pratique religieuse. L'église comme édifice circonscrit est l'espace du sacré et devient la maison du peuple de Dieu où on ne se contente pas de célébrer; on se préoccupe aussi d'enseigner, de catéchiser et d'y intégrer les éléments culturels et sociaux du quotidien. Aussi, le bâtiment église situé au cœur de la paroisse devient le symbole de l'Église universelle dans toute sa dimension. Ce lieu où le sacré se célèbre de dimanche en dimanche, d'événement en événement, ce lieu témoigne par sa qualité intrinsèque de la vie et de l'histoire de ceux et celles qui le fréquentent. Ces lieux de culte ramènent à notre mémoire la réalité de notre patrimoine religieux dont l'architecture et la symbolique m'ont toujours fasciné. Ces lieux de culte, quand j'y pénètre, sont comme un chant qui se développe comme une symphonie dans ses couleurs, dans ses symboles où l'accent est mis sous mille formes afin de nourrir la vie des chercheurs de Dieu. La voûte de ces églises où se rejoignent les arcs gothiques comme des mains jointes en prière élève notre regard vers l'infini. J'y trouve une œuvre d'art en complète harmonie avec le mystère qu'on y célèbre. Ces églises sont peuplées d'images pour développer la sensibilité visuelle du visiteur et des personnes en prière. L'image en soi n'est pas chrétienne, c'est le regard de la foi sur l'image qui la transfigure et qui en fait un objet qui transcende tout. Souvent, il y a des vitraux qui sont là pour favoriser la prière et donner une qualité spirituelle à cet édifice culturel. Les fenêtres, souvent faites avec des motifs en dentelle, laissent filtrer la lumière pour mieux illuminer nos chemins intérieurs. Les vitraux montés de verre coloré et souvent peints intensifient l'intériorité de ce lieu où Dieu nous donne rendez-vous. Au cœur de ma vocation, ce lieu est un port d'accueil où je nourris souvent ce que je suis et ce que je voudrais être.

Ouvrir la porte d'une église, c'est franchir le monde du mystère.

Ouvrir la porte d'une église, un dimanche à l'heure de l'assemblée, c'est découvrir l'Église, le peuple de Dieu, dans la diversité de ses membres et l'unanimité de sa foi.

Ouvrir la porte d'une église, un jour où l'on s'y trouve seul, c'est entrer dans le silence qui n'est pas le vide mais la plénitude.

Franchir la porte d'une église, c'est répondre à un appel. Parmi tous les symboles sous lesquels le culte chrétien veut révéler le contenu du mystère qu'il célèbre, la porte de l'église s'ouvre sur un monde qui dépasse le visible.

L'église est pour moi comme une femme.

Elle s'impose par sa forme, qui nous révèle à tous une beauté intérieure où l'imagination de l'artiste s'exprime dans une grande richesse symbolique.

L'église, lieu de culte, se vit au féminin pour mieux donner à notre histoire la vie qu'elle porte dans ses murs.

L'église, lieu de culte, signifie l'Église qui est femme parce qu'elle enfante à la vie même de Dieu.

Une manière d'être au monde

• l'Acadie, mon pays

Toi
tu es mon pays
j'y ramènerai les baluchons de mes années perdues
j'y planterai l'arbre de mon cri le plus ancien
je m'y arrêterai
j'y vivrai
toi
tu es mon pays
j'y convoquerai mes solitudes
j'y intenterai les procès de mes désespoirs
j'y nommerai toutes mes audaces
j'y dormirai
toi tu es mon pays
j'y lancerai le troupeau de mes désirs enfin rapatriés
j'en nommerai tous les vallons et toutes les pointes
j'en connaîtrai l'unique espoir
je l'épouserai
toi
tu es mon pays
j'y naîtrai.

LÉONARD FOREST

En écoutant Marc Beaulieu, *Visions passagères*.

En regardant la neige tomber une autre fois comme une visiteuse qui me fatigue, j'ai dans le nez l'odeur des printemps tièdes et parfumés de mon enfance. Assis à la table, je savoure le calme du matin dans cet instant à vivre. J'entends le bruit du picotement du grésil sur les murs de ma maison, un bruit qui augmente en intensité selon les caprices du vent. En attente des fleurs de l'été, les dessins tout en fleurs de la nappe de dentelle sur la table me renvoient à l'odeur de tous les jardins du monde, « l'absente de tous les bouquets » comme chez Mallarmé, où l'absence intensifie l'instant. Devant moi, sous mes yeux, un panier de Pâques couleur rose et mauve avec un œuf en carton aux coloris variés et, comme dans une trémie, reposent des poussins flamboyants comme un soleil qui se lève. Sur le patio, j'ai laissé traîner mon drapeau acadien, tout recroquevillé et aux couleurs éteintes par la neige tombante, à l'exception de l'étoile qui a vu d'autres tempêtes. Sans abuser de l'image, il y a là pour moi en ce matin de fin d'avril un pays à rêver : l'Acadie, ce pays dont il est impossible de délimiter les frontières puisqu'il est à l'aise partout où vit un Acadien, ou une Acadienne.

En pensant à l'Acadie, il m'est difficile de comprendre les gens qui regardent notre passé avec tant de tristesse et même parfois de ressentiment quand je suis habité de tant de reconnaissance.

En pensant à l'Acadie qui est l'amour de ma vie, il me revient en mémoire, comme une chanson de folklore, cette strophe d'un beau poème de Verlaine :

Je fais souvent ce rêve étrange et pénétrant
D'une femme inconnue, et que j'aime et qui m'aime
Et qui n'est, chaque fois, ni tout à fait la même
Ni tout à fait une autre, et m'aime et me comprend

Si le centre du monde, c'est le pays qu'on aime, l'Acadie est pour moi le centre de ma vie.

Comme dans un grand amour quand j'évoque l'Acadie, il y a d'abord prédominance de l'activité visuelle. Il y a là une démarche avant tout subjective où je peux en toute sécurité me fondre dans le paysage du coin de terre de mon enfance, et je me sens accordé avec ce monde que je possède. C'est l'univers des mers et des rivières, du boisé et des dunes, de l'édredon de froidure de mes hivers avant d'accueillir les visages des habitants de mon pays. Et peu à peu, les vivants prennent place dans le monde du passé où la souffrance est un appel à l'audace de vivre, un appel à la volonté de vivre pleinement leur destin. Après cette poésie du regard, j'habite mon pays natal dans sa nature douce et parfois amère, avec ma passion de vivre qui enracine mon engagement ici.

Ce pays qui est le mien n'est pas un lieu matériel, mais un lieu humain au visage souvent obscur et au cœur trop silencieux. Cet impossible d'un pays à nommer, je l'ai vécu à différents moments de ma vie, comme l'a écrit le poète Raymond-Guy Leblanc :

> *S'il m'est douloureux de vous tendre mes deux mains*
> *Pour vous rejoindre vous toucher où que vous soyez*
> *C'est que vous êtes trop loin et dispersés partout*
> *Gens de mon pays dans l'absence de vous-mêmes*

Pour dénoncer cette absence de la réalité de mon pays, comme lieu géographique et politique, j'ai milité au sein du Parti acadien et, en 1978, j'écrivais :

> *Si je fais la marche de l'Acadie, dans les villes et les villages et les rangs, et j'interroge l'aspect de mon univers, suis-je capable honnêtement de palper ce vouloir-être-et-vivre acadien ? Dans cet inventaire, quelques-uns portent le harnais lourd à soulever de nos revendications. D'autres s'effacent dans un silence et disent trop facilement ce qu'ils sont sans se compromettre. Pourtant, nous sommes à l'heure de la compilation de nos énergies, non pas pour les archives,*

mais pour la remontée dynamique de notre peuple. Il faut estampiller notre province avec la force de notre engagement.

Comme Acadien en situation minoritaire dans ma province, je m'appliquais ce proverbe africain :

Lorsque le chasseur et le chien courent après le gibier, ils sont égaux. Mais, lorsqu'ils ont attrapé leur proie, le chasseur a droit à la viande et le chien à l'os.

C'est ce qui m'a amené à écrire dans *L'Action Nationale*, en 1978 : « *Il est normal que l'Acadie veuille dresser sa tente dans une géographie.* » Ce que je crois aujourd'hui n'est pas un déni de ce en quoi je croyais, mais plutôt une croissance dans ma réflexion. Les penseurs acadiens, les écrivains et les historiens ont éclairé ma chandelle et je crois en l'Acadie de plusieurs territoires, dispersés çà et là et où se vivent les éléments essentiels de la culture de notre peuple. Je ne peux taire mon inquiétude de me vivre dans un pays virtuel et incertain.

À partir du village où je suis né jusque dans tous les milieux où j'ai œuvré, mes engagements ont été une façon de posséder mon pays pour lui donner un visage et le sortir de son silence. Mes engagements culturels, sociaux et politiques, soit comme président du comité d'action pour la mise en place d'un conseil scolaire francophone pour la région regroupant l'ancien conseil scolaire nº 5, soit dans le comité de CEGA (Comité des états généraux de l'Acadie) au sein de la SAANB, soit comme animateur culturel de la région Népisiguit, comme membre du comité des 12 pour la justice sociale en Péninsule acadienne, ont permis à mon pays d'être au monde au cœur de la francophonie.

Comme d'autres peuples, nous avons nous aussi chanté notre histoire. Je refuse de croire que « le hasard est le plus grand comédien dans la vie des hommes et des peuples ». Rien n'a été laissé au hasard dans la vie de notre peuple. Tout a été mené par une étoile qui est dans le bleu du drapeau républicain et aussi dans l'*Ave Maris Stella*. En réfléchissant sur les années charnières de notre histoire, 1881 et 1884, à l'occasion d'une session donnée à l'Université de Moncton, j'avais pensé le texte suivant, sur le symbolisme de l'étoile en Acadie

Le peuple acadien est habité d'une richesse intérieure qui a permis l'émergence du symbole de l'étoile ayant une valeur historique. De tous les symboles, le symbole de l'étoile a été choisi. Ce choix de l'étoile n'a pas été fortuit. L'étoile est en relation avec les tensions et les dynamismes de la vie du peuple acadien. L'Acadie dans sa culture, dans sa foi, dans son histoire, a su s'approprier l'étoile pour exprimer toute l'intensité du peuple acadien. Ce symbole étant un sens de direction, d'avenir, d'orientation, est en même temps unifiant. Ce symbolisme de l'étoile vécu au niveau nationaliste et folklorique est toujours porteur d'une coloration chrétienne et s'enracine ainsi dans l'univers judéo-chrétien. Du symbolisme biblique au symbolisme acadien, il y a une continuité évidente, une même source nourrissante. Dans le drapeau acadien, l'étoile c'est l'espace sacré de la lumière comme peut être l'étoile guidant les Mages vers Bethléem. Cette lumière de l'étoile dans le bleu du drapeau éclate comme les cinq pointes dans la nuit d'un peuple, dans les angoisses et les tiraillements d'un groupe ethnique en marche. Elle est aussi une présence mariale puisque le verset de l'Ave Maris Stella lui donne ce rôle de guide. Dans l'hymne national, l'interaction de l'étoile et de la mer associe le rôle de guide lumineux et de protecteur qu'est Notre-Dame de l'Assomption dans l'histoire du peuple acadien. Dans une transformation du symbole, l'étoile devient la femme, Marie habitée d'un pouvoir protecteur dans la piété acadienne.

En plus du folklore et de cette dimension religieuse du symbole, il est bon de retenir le titre d'un ouvrage historique, Une étoile s'est levée parmi nous, où l'étoile exprime le dynamisme d'un patriote, Mgr François-Marcel Richard. Il est intéressant à titre comparatif de remarquer la progression d'un symbole : l'étoile du drapeau, l'étoile mariale dans l'Ave Maris Stella et l'étoile patriote de Mgr Richard. Trois étapes de diffusion d'un symbole, trois étapes historiques et religieuses qui traduisent un fait historique de survivance. Et aussi, il ne faut pas oublier qu'une artiste acadienne a puisé au même symbole de l'étoile pour chanter le thème universel du destin et de la chance : « Il y une étoile pour chacun de nous ».

Depuis 1881, le 15 août, un peuple parmi tous les peuples, le peuple acadien, se rassemble autour de sa patronne Notre-Dame de l'Assomption. Ce peuple est célèbre pour donner un espace à Dieu dans son histoire pour qu'elle soit vraie, plus valide et plus enracinée. Il s'en serait fallu de peu pour que nous aussi, comme peuple, nous ayons pu comme d'autres peuples n'être qu'un simple fait de l'histoire sans avenir collectif. Sans justifier les bêtises de l'histoire, avec le temps nous avons compris que nous avons été dispersés pour mieux éclater dans le monde comme des feux d'artifice aux mille couleurs à travers nos artistes, nos écrivains, nos leaders dans tous les domaines. Aujourd'hui, le peuple acadien nourrit la carte du monde de sa culture, et même de sa force économique et sociale.

Rigoberta Manchü, prix Nobel de la Paix en 1992, une Indienne minoritaire comme nous au cœur de son pays, écrivait :

> *La fleur la plus belle qu'un peuple puisse cueillir est toujours celle du développement lié et créé à partir de sa propre culture.*

Une citation qui nous va comme un gant en terre acadienne, où le développement culturel porte l'odeur de nos mers, de nos rivières et de nos forêts, où le développement culturel est l'expression de nos aspirations les plus profondes.

Chaque année, comme dans un rituel, le 15 août nous permet de dégivrer les vitres de notre histoire pour essayer de voir clair dans l'Acadie de la modernité sous ce regard maternel et lumineux de Notre-Dame de l'Assomption, proche de nos attentes.

Malgré le terrain gagné, sans jouer au trouble-fête, il faut dire que le cheval de Troie dans l'Acadie des Maritimes, c'est toujours le danger de l'assimilation. Il faut veiller à tout prix à ce que l'outil de communication qu'est notre langue française, avec ses accents régionaux, soit sauvegardée comme le souffle de notre identité. M. Jean-Louis Roy, ancien directeur-général du journal *Le Devoir* et porte-parole des récipiendaires de l'Ordre de la Pléiade en mars 2004, affirmait avec conviction que la francophonie est toujours une bataille à mener. Je tenais les mêmes propos en mars 2000, à l'occasion de la semaine de la francophonie, aux Clubs Richelieu rassemblés à Caraquet.

LA FRANCOPHONIE

Chers amis « Richelieu » et celles qui partagent votre vie, chers amis de la francophonie. Depuis que nous sommes entrés dans cette salle, où la fête est au rendez-vous, j'ai observé chez vous le désir de communiquer, de vous exprimer dans des mots. C'est le désir humain qui nous habite d'établir une relation avec l'autre, avec tous ceux et celles d'ici et d'ailleurs. Cette relation, cette communion entre nous, nous l'avons faite à travers des gestes d'accueil, des regards mais surtout dans un langage où la langue française est à l'honneur avec les accents qui sont les nôtres.

Dès que nous avons dit un mot, nous sommes identifiés comme francophones et la langue française a tout dit de notre personne, de nos qualités, de nos ambitions, des événements. Enfin, cette langue est devenue le véhicule, le moyen essentiel pour révéler notre identité. Enfin, notre langue parlée ou écrite, elle est beaucoup de nous-mêmes, elle est notre culture, elle est notre manière de vivre. Nous sommes des parlants francophones et fiers de l'être, voilà notre identité.

Mon propos ce soir, ce n'est pas d'insister sur le fait de la nécessité d'apprendre une langue comme moyen de communication, mais c'est de nous arrêter autour de la réalité de la francophonie qui est vraie en autant qu'il y a des parlants francophones qui sont fiers d'être des francophones et font tout pour propager cette fierté aux autres, à leurs familles, à nos institutions, à nos commerces, à nos jeunes, afin que demain cette passion de la langue française soit possible. Voilà une des missions des clubs Richelieu que nous sommes heureux de reconnaître en ce souper de fête, en cette semaine de la francophonie.

Faisons un peu d'histoire. En rejoignant les peuples autochtones, les colons français, l'un des peuples fondateurs du Canada, changèrent le visage du pays et contribuèrent à l'originalité de son peuplement, même jusqu'en péninsule acadienne où les arrivants nous ont donné cette parlure française. Nous savons que les ancêtres de presque tous les Canadiens français d'aujourd'hui remontent aux premiers colons qui arrivèrent entre 1665 et 1739 ; et aujourd'hui, en prenant conscience de l'héritage francophone, ne trompons pas leurs espoirs.

Depuis les premiers parlants français qui ont foulé notre sol, la langue française a pris racine dans nos vies, et cette langue est devenue un instrument de communication merveilleux. C'est ce que chante Yves Duteil avec générosité dans une belle chanson du siècle dernier, dédiée à Félix Leclerc, « La langue de chez nous », et je cite :

C'est une langue belle avec des mots superbes
Qui porte son histoire à travers ses accents
Où l'on sent la musique et le parfum des herbes
Le fromage de chèvre et le pain du froment

Dans cette langue belle aux couleurs de Provence
Où la saveur des choses est déjà dans les mots
C'est d'abord en parlant que la fête commence
Et l'on boit des paroles aussi bien que de l'eau

C'est une langue belle à l'autre bout du monde
Elle a jeté des ponts par-dessus l'Atlantique
Elle a quitté son nid pour un autre terroir
Et comme une hirondelle au printemps des musiques
Elle revient nous chanter ses peines et ses espoirs.

Cette « langue belle » que l'on parle et qui me permet de vous atteindre dans la fierté de ce que vous êtes, cette langue belle a l'histoire des grands combats que vous connaissez et nous investit d'un héritage à conserver et à promouvoir à tout prix.

Ce qui m'inquiète et m'angoisse, et je suis heureux de le partager avec vous ce soir, c'est que nous perdons avec notre génération la passion des causes à mener et peut-être aussi le culte de la beauté de notre langue, et cela même dans nos écoles, nos collèges et nos universités. Et cela peut nous conduire à nous endormir sur nos acquis et à être un jour un élément de folklore dans un pays qui se veut multiculturel. On parlera de nous comme des objets de musée, et cela peut-être en anglais, dans la langue de la majorité.

Je ne suis pas ici pour défendre qui que ce soit et même pas la langue française. Cette langue française s'est imposée à tous les peuples et à toutes les civilisations à tel point que la francophonie n'a plus de frontières et nous l'avons vécu au 8e Sommet de la francophonie. Les chefs-d'œuvre, les écrits, l'expression culturelle des parlants francophones, parlent pour nous et avec nous. Et nous sommes de cette francophonie.

Je suis ici tout simplement pour qu'ensemble nous puissions reconnaître que la langue française, selon les milieux, peut avoir quand même des enracinements fragiles Et nous, les parlants français, au cœur desquels se vit la collectivité acadienne, nous avons beaucoup lutté pour bénéficier de nos acquis dans tous les domaines qui sont les nôtres : en éducation, sur le plan économique, dans notre réalité religieuse, dans le domaine de la santé et de certains services à la population.

Il est dangereux de nous endormir et de nous dire que nous pouvons nous appuyer sur la Loi des langues officielles. Mais tout cela n'est pas une garantie d'avenir. On peut se donner les lois les plus précises concernant les langues officielles dans notre pays et dans notre province. Tant et en autant que le parlant francophone n'est pas convaincu que c'est lui qui est le flambeau qu'il doit passer aux autres et que c'est lui qui croit dans un lendemain quant à sa langue, quant à sa culture, toutes ces lois sont lettre morte. Les lois rendent officiels nos droits, mais n'assurent pas l'avenir de notre francophonie. L'usager de la langue française que nous sommes est la seule garantie de son avenir.

Selon les psychologues, si nous nous regardons comme personne dans nos comportements, je dirais avec eux qu'il y a une différence entre le besoin et la volonté. Dans un monde où nous sommes minoritaires comme parlants francophones, nous vivons cette différence entre le besoin et la volonté. Notre langue et notre culture dépendent d'un besoin de communiquer sans doute, mais surtout d'une volonté de demeurer francophones avec tout ce qui nous engage.

On peut se trahir soi-même, mais on ne peut pas trahir les racines les plus profondes en soi-même, soit d'être de souche francophone. Être francophone, être Acadien et Acadienne, ce sont nos racines avec l'histoire que nous portons en nous-mêmes. Je dirais qu'aujourd'hui, être francophone c'est plus qu'un risque, c'est *le courage, la volonté* de vivre vraiment ce qu'on est. Notre langue française est plus qu'un outil qui répond à ce besoin de communiquer qui est nôtre, il répond aussi à une manière de vivre et de penser. Selon les statistiques d'hier, nous savons que la francophonie va en augmentant de 7 % à travers le monde. Mais cela n'enlève rien à ce qui nous menace.

En cette fête, grâce à l'initiative de nos amis les « Richelieu », il est bon de se rassembler pour donner l'heure juste de ce qui se vit dans la francophonie canadienne. Je lisais dans le Franc-Contact, le bulletin d'information du Conseil de la vie française en Amérique, et je cite :

> *Selon le démographe et mathématicien Charles Castonguay, le processus menant à la disparition lente et inexorable de la plupart des communautés francophones du pays est en marche et plus rien ne semble pouvoir l'arrêter. C'est en examinant la pyramide des âges, surtout le nombre des enfants entre 0 et 9 ans, qu'il en est venu à calculer que les taux des emplacements des francophones étaient maintenant trop bas dans presque toutes les provinces, sauf au Nouveau-Brunswick, pour qu'il y ait un renversement de la tendance vers la disparition.*

Il estime que le temps est venu de repenser la politique linguistique et culturelle du pays et de cesser de prétendre que le Canada français s'étend d'un océan à l'autre. C'est une illusion qu'il faut à tout prix évacuer dans notre manière de penser la francophonie canadienne.

Ce mot du président est-il alarmiste ou remet-il les pendules à l'heure ? Si notre province, le Nouveau-Brunswick, ne représente que 2,4 % de la population canadienne, je vous pose la question : que représentent 35 % de parlants francophones de notre province dans cette marée multiculturelle de notre pays ? C'est avec une certaine émotion que je vous pose cette question, car j'ai peur de la réponse, qui peut nous placer devant une réalité qui va nous faire mal tôt ou tard.

Si nous sommes là aujourd'hui, c'est parce qu'il y a eu dans l'histoire de notre francophonie acadienne un militantisme qui, à coup de passions, a mené le combat pour imposer notre culture, notre foi, notre langue aux situations politiques de l'heure. Mon rôle ce soir n'est pas de réhabiliter l'histoire, mais à mon avis on a décrié parfois trop facilement ces militants qui, dans l'Ordre de Jacques-Cartier, (alias « La Patente ») et dans l'Église, ont contre vents et marées permis à la culture francophone d'être chez elle ici. D'anciens membres sont avec nous ce soir et je voudrais les féliciter. Un de ces membres de l'Ordre de Jacques-Cartier a été reconnu au 8e Sommet de la francophonie. J'ai nommé le Richelieu monsieur Martin Légère. Seront-ils les derniers de nos militants ?

Nous sommes plus que les héritiers de Lord Durham, voués à l'assimilation, nous sommes les héritiers de ces combats qui nous invitent à gérer nos réalités acquises pour que demain les francophones soient plus qu'une illusion au Nouveau-Brunswick, en Acadie.

Je vous invite, membres du mouvement international Richelieu, à être clairvoyants en tout temps et en aidant les jeunes, aidez-les à garder la fierté de leur identité et de notre histoire. Je vous invite à entrer dans nos institutions éducationnelles et à révéler la beauté de notre langue à nos jeunes dans des concours oratoires, dans des concours d'expression écrite et orale, et cela même par le biais de bourses d'études pour qu'il y ait une relève chez nos leaders, chez les artistes qui sont nos ambassadeurs, pour qu'il y ait une relève tout simplement dans notre francophonie.

Nous savons que la mondialisation guette le secteur économique du monde. Mais cette globalisation affecte aussi les mentalités et souvent peut amener des générations montantes à se ranger du côté des plus forts, à se désengager et à ne plus être fières de ce qui fait notre identité. Il faut à tout prix être des veilleurs ou des transmetteurs de nos valeurs et de notre culture afin que les 243 000 francophones de notre province survivent pendant encore quelques décennies. Il faut se rappeler que la francophonie en personne, c'est vous, c'est moi. Pour conserver et respirer ce que les panneaux disent à l'entrée de nos villes, le parfum de la francophonie, il faut se redire avec conviction que nous avons toujours des combats à mener pour célébrer les victoires d'une réalité acadienne et francophone vivante et enracinée. Il faut se rappeler que tout se vit au dedans de la personne, c'est-à-dire à partir des convictions personnelles que nous portons en nous-mêmes pour les vivre partout et en tout temps comme parlants francophones.

La francophonie en personne c'est vous, c'est moi, c'est nous qui faisons nôtre ce texte du même chansonnier cité au début :

C'est une belle langue à qui sait la défendre
Elle offre les trésors de richesses infinies
Les mots qui nous manquaient pour pouvoir nous comprendre
Et la force qu'il nous faut pour vivre en harmonie.

Je dis merci à cette langue, à mes parents, à mes éducateurs, à vous que j'ai voulu atteindre avec les accents d'une belle langue que j'aime comme une femme.

En plus de l'outil de communication qu'est la langue, il y a la réalité économique qui est essentielle à l'avenir d'une collectivité. Les spécialistes de la question peuvent penser le développement de la Péninsule acadienne. Dans les essais d'une relance économique, la question a été posée : quoi faire avec la Péninsule acadienne ? La Péninsule acadienne est-elle une terre de Caïn sans aucun avenir ou est-elle une terre promise à un bel avenir ? Quand une région comme la nôtre connaît un tel exode de ses jeunes, faut-il nous résigner à être un lieu où nous préparons la main-d'œuvre pour des ailleurs plus prometteurs ?

La Péninsule ne doit pas être un mal nécessaire à vivre mais un centre de croissance aussi valable que les autres centres de croissance de la province, avec les nuances que cela impose et compte tenu des nombreux rapports d'études sur les tablettes. La Péninsule acadienne n'est pas un virus dans la géographie de la province et du Canada.

Ma véritable fierté, c'est d'être un résident de la Péninsule acadienne et de ne l'avoir que très peu quittée malgré les sollicitations qui m'ont été faites lors de mon parcours.

Je suis enraciné ici comme les arbres de nos forêts et je porte en moi l'odeur de nos rivières et de nos mers. En regardant ma péninsule avec mon cœur, conscient que l'économie est humaine et qu'elle a aussi un rôle civilisateur, je me pose la question : c'est quoi pour moi, la Péninsule acadienne au cœur de mon engagement ? D'abord, c'est une bande de terrain de plusieurs kilomètres qui a les deux pieds dans l'eau et où vit la plus grande concentration d'Acadiens et d'Acadiennes sur un territoire donné. Vous pouvez y admirer les plus beaux couchers de soleil au monde. Une bande de terre, si j'y entre, j'y découvre les forêts les plus riches de notre pays, une qualité de sol cultivable aussi prometteuse que les fonds de nos mers. Tout cela pour une population de 50 000 habitants aussi généreux et disponibles que tous les citoyens et citoyennes du monde. En Péninsule acadienne se vit une culture fondatrice de notre pays dans son expression particulière, la culture acadienne, comme un élément très dynamique de la francophonie mondiale. C'est la quatrième région en importance démographique de la province. En abordant la géographie de la dite péninsule avec ses chefs-lieux, le grand Caraquet, la région de Shippagan-les-Îles et la grande région de Tracadie, je me pose beaucoup de questions. Dans la Péninsule acadienne, ici comme ailleurs, le tout précède les parties. Dans une démarche personnelle et communautaire, comment, dans notre mentalité, dissoudre une perception ou un mode de fonctionnement basé sur la fragmentation, sur la compétition, sur les réactions en temps de crise ? Tout cela n'est pas de l'inédit, mais du vécu assez récent. Comment apprendre à vivre ensemble pour que les réalités d'une région deviennent une motivation pour une autre région, un lieu de création et de partage ? Comment apprendre à vivre ensemble avec nos esprits de clocher qui peuvent être un stimulant pour les uns et les autres et non un éteignoir qui nous empêche de voir et d'applaudir aux succès de nos voisins péninsulaires ? La compétition n'est pas en soi une mauvaise stratégie. Elle peut être source d'audace, mais aussi d'isolement. Comment sortir de cette croyance vicieuse qu'une région n'a pas besoin de l'autre ? Le problème, il me semble, c'est que nous avons perdu l'équilibre entre la compétition et la coopération, alors plus que jamais nous avons besoin de travailler ensemble et de dépasser cette mentalité de solution rapide et de rapiéçage qui nous empêche d'avoir une perception viable de l'ensemble de la Péninsule acadienne. Comment arriver à un consensus administratif des trois grandes régions de la Péninsule acadienne ? Il serait ingrat de ma part de passer sous silence ce que la Péninsule a réussi dans le passé en établissant un véritable réseau de solidarités par rapport à des enjeux économiques et par la création d'entreprises à caractère collectif. Nous avons donné naissance à un mouvement coopératif dont le joyau est la Fédération des Caisses populaires, avec un actif de 2 milliards de dollars. Si le passé est garant de l'avenir, il y a là un précédent estimable. Afin d'avoir des réponses à mes questions, j'en appelle aux économistes et aux sociologues, car ma seule spécialité, c'est celle du cœur.

Mon regard sur ma péninsule, qui vient du cœur, découvre les forces vives du milieu. Dans un regard éthique ou moral, je voudrais spécifier les points d'ancrage d'un développement économique selon notre visage, notre réalité.

Une des premières forces vives, ce sont nos familles acadiennes.

La famille est pour moi le premier lieu de vie, d'apprentissage et de socialisation de l'enfant. La famille est plus qu'une maison de pension. Avec la famille, nous touchons aux assises, aux fondations de la société. La famille, elle ne vient pas d'une religion, elle ne vient pas d'un gouvernement, ni d'une décision en dehors de nous. Je dirais que la famille vient d'un besoin qui émerge de notre expérience humaine elle-même, d'un besoin d'encadrement que rien ne peut remplacer. Tout dans la nature, dans les êtres les plus petits comme dans notre corps, commence par une cellule, par un noyau auquel se greffe toute la réalité de l'être que je suis. C'est dans ce sens que la famille est le noyau, la cellule qui alimente le milieu social qu'est le nôtre, le tissu social de nos communautés. C'est tellement vrai que j'affirme que la société est surtout là pour venir à la rencontre des individus qui sont les fruits de la famille. Détruisez la famille, vous détruisez l'individu que vous êtes, que je suis. Vous sapez les bases de notre société. Peu importe le modèle de famille que vous vivez, la famille c'est d'abord le lieu d'une naissance, c'est le lieu de nos origines. Une naissance qui appelle une croissance, et cela à tout point de vue. Ce lieu de naissance et de croissance qu'est la famille est irremplaçable. J'irais très loin en osant dire que le clonage a besoin de références familiales pour produire un être achevé. La famille, c'est le lieu qui moule la pâte à modeler qu'est l'enfant. Voilà une première force de la famille : être le moule où se forgent les personnalités de demain. La famille, c'est l'atelier où les parents, comme des artisans, élèvent l'enfant comme on érige un monument. La famille, c'est un chantier de construction où sont donnés les éléments de base dont l'enfant a besoin pour se bâtir dans la confiance. Je souscris tout à fait à ce qu'un enseignant me disait un jour : une telle famille, ce n'est pas son enfant qu'elle m'a confié, mais ses problèmes dans son enfant. Ce transfert, hélas, est l'héritage le plus triste qui soit et endommage grandement le tissu humain et social d'un milieu. L'école ne pourra rien faire avec une matière première tout abîmée, aussi blessée que son milieu d'origine

Dans cette force vive qu'est la famille dans la Péninsule acadienne, selon le vécu de la famille qui a été la mienne, il faut que nos familles soient, malgré les malaises de société, le lieu d'apprentissage du vrai sens de la liberté et de la responsabilité, de la discipline et du plaisir, de l'autorité et de l'autonomie, du droit du devoir et du don de soi. Un développement économique n'a de sens que s'il repose sur la qualité des individus de la collectivité. Et la famille est une composante essentielle de cette collectivité.

Le développement économique de la Péninsule acadienne doit s'inspirer d'une autre force vive de notre milieu pour que ce développement ait une durée dans le temps. Parmi ces forces vives, il y a aussi les aînés. En empruntant beaucoup à la réflexion d'un prêtre sociologue que j'admire, Jacques Grand'Maison, je voudrais élaborer sur cette ressource naturelle du milieu qu'est le 3e âge.

En ce temps de remise en question de toutes les valeurs qui ont permis jadis de donner un sens à la vie, nous n'avons pas de tâche plus urgente que la recherche d'un sol ferme pour assurer nos pas. Dans une société de non-conformisme, où l'être est réduit à la simple imitation et à vivre le rôle d'une personne plus ou moins mal ajustée, voilà une façon géniale de camper le mal de l'âme de notre société et, par le fait même, d'inviter les aînés à vivre leur rôle social.

Dans notre société qui est à la recherche de *ce sol ferme* pour assurer son pas, les aînés sont *ce sol ferme* malgré les variations qui ont eu lieu, malgré les changements qui s'opèrent dans une vie, le 3e âge est *ce sol ferme* dans une société qui a un urgent besoin de références solides, de transmetteurs, d'éveilleurs.

L'histoire ne montre-t-elle pas, au reste, qu'à maintes étapes des civilisations, les aînés qu'on appelle aussi les sages, même les vieux dans certaines cultures comme en Afrique, nous ouvrent avec attention et espérance, à l'éminente grandeur de l'humanité ? Cette humanité de la personne est la chose la plus vivement menacée au monde.

Nos idées vieillissent avec nous, mais nos idées aussi peuvent nourrir l'idéal de plusieurs générations. Au-delà du vieillissement, la personne, dans sa dignité humaine, demeure ce qu'elle a été depuis le premier jour, *une personne sacrée*. L'aîné est cette personne sacrée et son rôle social est d'autant plus important que notre monde en a grandement besoin, puisque le *snobisme* de la modernité n'a rien bâti sur ce qu'il a détruit ou ce qu'il a tenté de détruire. Seulement l'expérience d'une vie qui est le trésor du 3e âge peut apporter la sérénité, la fidélité à une société qui doit découvrir le sens de sa direction. Et c'est elle-même, cette société, qui demande aux aînés de se sentir utiles, en rappelant la valeur éducative à l'autorité, à la loi, à la discipline chez la génération qui vient après nous.

Notre passé, avec son histoire, est tellement utile à la réalité sociale d'aujourd'hui qu'il est comme un oignon dont on ne finit d'éplucher toutes les couches parfaitement intégrées et qui peut créer des solidarités entre les générations dans la transmission des valeurs.

Les gens du 3e âge sont cette génération qui a mis la main à la charrue sans regarder en arrière. Ils sont de cette génération qui a toujours nourri la passion de ses engagements, et cela pour le meilleur comme pour le pire au point de vue tant social que religieux. Il y a là une passion, une constance et une fidélité qui devraient faire la fierté des aînés. D'aucune façon on ne peut pas accuser les aînés d'être des êtres de démission.

Il y a tout un pan de l'histoire en Acadie que les aînés peuvent signer de leurs engagements généreux, de leurs compétences personnelles et de leurs convictions qui ont l'odeur de nos racines.

Je dirais que l'Acadie d'aujourd'hui est à partir de ce que vous avez été pour elle, vous, les aînés. Notre pays, c'est plus que quelques arpents de neige, c'est tout un sol ferme labouré où germent aujourd'hui les projets audacieux de vos enfants et de vos petits-enfants. À condition que nous soyons, nous, les aînés, les transmetteurs des valeurs et des convictions qui ont été le souffle vital de notre histoire. Nous avons un rôle social de disponibilité auprès de nos familles, qui comptent sur nous pour relever les nouveaux défis de la transmission. Dans cette crise de transmission, vous devez prendre la parole. « Une société qui ne sait plus transmettre ses savoirs, ses savoir-faire, son histoire propre, sa culture, le sens de ses fêtes, ses propres assises morales et spirituelles, c'est une société qui vit une crise plus profonde qu'une récession économique ou qu'une crise politique », comme l'écrit Jacques Grand'Maison,

Le rôle social des aînés du 3e âge dans la construction de notre peuple, c'est d'assurer que l'éducation de nos descendants soit à la hauteur de ce que nous avons bâti ensemble. Nous devons dire à la génération montante d'ici que s'ils bénéficient de la fierté des récoltes dans le domaine de l'éducation à tous les niveaux dans la province, c'est parce que nous, les aînés, nous avons labouré cette glaise revêche à coup de luttes répétées et clandestines afin de posséder notre système d'éducation dans notre langue de la maternelle jusqu'à l'université. C'est une médaille d'or que nous pouvons décerner aux aînés de notre région. Quand j'arpente la province, je vois ces campus universitaires, ces polyvalentes, ces collèges communautaires, ces écoles ; j'y vois plus que des monuments. Je voudrais y voir des lieux de vie qui donnent à nos jeunes la *passion* de leurs racines, des lieux de transmission qui ont besoin de votre disponibilité pour mieux faire face aux nouveaux passages difficiles de la vie et de la société d'aujourd'hui. Il n'y a pas de civilisation, de culture, de société, de liens durables sans transmission pertinente, sans solides rapports de générations. Les aînés sont les grands pédagogues du cœur.

En voulant faire trop tôt de nos enfants des citoyens du village global, on détruit peu à peu le tissu social de nos communautés et, par le fait même, on tue l'homme ou la personne dans ses racines. Si un arbre est d'autant plus beau que ses racines sont profondes, je m'inquiète pour l'avenir d'une génération qui grandit sans racines. Comme aînés, nous devons prendre nos jeunes par la main et leur donner une leçon d'histoire pour que jamais ne s'éteigne la mémoire de notre peuple.

Une toile de fond sur laquelle se greffe un développement économique de la Péninsule acadienne, c'est l'appauvrissement. Dans un monde qui en est un de la réalité globale, il est urgent de créer des solidarités afin de ne pas oublier les pauvres, les démunis qui franchissent ou non les seuils de nos églises et de nos maisons. Dans une pastorale de proximité, j'ai voulu m'intégrer au Comité des 12 afin que la justice sociale soit plus qu'un 5 à 7. L'Évangile m'a appris à ne pas garder le silence quand l'injustice est à notre porte.

On peut constater le problème de l'appauvrissement et garder le silence. C'est le cas de la majorité. On peut se dire qu'il y a là une situation qui est un problème de société et ne rien faire. Mais il y a une possibilité de créer des solidarités et d'essayer de penser des pistes de solution afin que les responsables de la mise en place d'une politique nous démontrent concrètement que dans notre société, il y a de la place pour tout le monde et non seulement pour les gros bonnets. La justice est à faire et à refaire parce qu'elle est toujours menacée. Cette justice est l'arme politique du respect et de l'amour de la personne. Nelson Mandela a dit : « Quand on aime son peuple, on veut pour lui ce qui est juste. »

En 1996, il y a eu une année internationale de l'élimination de la pauvreté ; et depuis, est-ce que des engagements ont été pris afin de diminuer la pauvreté qui menace les chances d'accès à l'égalité ? Où sont les engagements concrets au niveau national, provincial et régional afin d'accorder la priorité à la réduction de la pauvreté ? Nous savons que dans le monde, 1,5 million d'enfants meurent chaque jour à cause de cette pauvreté. Un Canadien sur six vit dans la pauvreté. Quelle est la proportion d'enfants pauvres dans la Péninsule acadienne ? Certainement plus que la moyenne provinciale.

Il faut poser, sur la pauvreté de notre milieu, un regard humain, car elle est avant tout un problème humain. Il faut changer les mentalités qui crient sur tous les toits que dans la lutte contre la pauvreté, il y a d'abord une résignation à vaincre. À partir d'un regard éthique sur la pauvreté, nous viserons à diminuer les politiques qui vont à l'encontre de la lutte à la pauvreté. Souvent, au lieu de s'attaquer aux causes de l'appauvrissement, les politiques de nos gouvernements s'en prennent aux pauvres sans voix comme dans le passé, où certaines sociétés s'en prenaient aux malades et les chassaient hors de la cité. Une société qui écarte ou qui écrase ses pauvres provoque une situation de fait où tout aménagement économique ne peut se réaliser à long terme. Un regard plus humain et plus juste sur l'appauvrissement doit nous amener à réaliser que les premières vertus économiques, comme l'écrit l'économiste Galbraith, dans son ouvrage *Voice of the Poor*, découlent des vertus sociales qui tissent les liens d'une véritable solidarité.

Dans une démarche de solidarité, je souligne la gravité des conséquences de la pauvreté que nous vivons et je vous invite à voir, dans notre milieu, un véritable déficit humain. Le déficit de la dette nationale n'est rien à côté d'un milieu social en déficit humain. Il est urgent de contenir les effets de la pauvreté et de l'appauvrissement collectif. Les coûts sociaux de la pauvreté sont trop élevés et peuvent hypothéquer l'avenir de notre milieu. Il y a un devoir de contrer l'appauvrissement de notre milieu, dans une solidarité partagée. Cette solidarité nous demande d'abord d'enlever de nous-mêmes cette attitude défaitiste qu'il y aura toujours des pauvres dans un système qui repose sur des profits et des pertes. Il y aura toujours des personnes qui n'arriveront pas à tirer leur épingle du jeu.

Notre regard éthique doit nous amener à un niveau de conscience tel qu'au-delà du désengagement de l'État pour aider sur le terrain des femmes, des hommes et des enfants, ce déficit humain soit comblé par nous et par tous les acteurs de la société. Il est plus facile pour nous de rester à la maison avec nos *chips* et nos *pop corn* que de nous laisser interpeller par ce problème social qui devient de plus en plus aigu. Un appel à l'humanité et à l'égalité des chances me dit que mon confort personnel est juste quand je le partage.

Nous sommes en relance économique depuis quelques années. Il faudrait éviter que le modèle choisi de cette relance économique en Péninsule acadienne engendre la pauvreté, l'exclusion et le « cheap labour ». Le tissu social de la Péninsule doit être amélioré à tous les niveaux afin de ne pas aggraver la situation déjà alarmante des secteurs les plus défavorisés. Dans une économie du marché, comment arriver à des solutions positives applicables et équitables afin de ne pas accélérer l'appauvrissement du milieu ? Voilà une question que je pose au cœur de ma conscience sociale éveillée à l'appauvrissement du milieu.

En m'inspirant de la commission canadienne de l'UNESCO sur l'éducation du 21e siècle, je vous avoue qu'en Péninsule acadienne, lieu de mon enfance, de mes racines, selon les quatre piliers de l'éducation proposés par Jacques Delors, le grand artisan de l'Europe unifié, j'ai appris à mieux connaître mon milieu pour mieux comprendre les gens d'ici. Mon engagement social, culturel et religieux m'a amené à faire et à agir sans tout attendre de l'État providence, dans une région qui a été longtemps subventionnée à 80 %. Aussi, j'ai appris à être, ce qui veut dire à faire la découverte de soi dans une culture particulière, la culture acadienne qui a été le lieu de communication de l'être que je suis. Enfin, j'ai toujours voulu vivre, avec nos différences et les besoins des régions, le tissu social de la Péninsule acadienne comme un tout cohérent et capable d'avenir. Dans mon agir et mon engagement, c'est toujours par la connaissance de soi que j'arrive à découvrir la grandeur et la beauté de l'autre. Une démarche où l'interaction me responsabilise et m'amène à voir la collectivité au sein de laquelle chacun et chacune sont dépendants des autres. Dans un développement ouvert sur l'extérieur, je suis persuadé que le développement de la Péninsule acadienne, ça concerne tout le monde, aussi bien les gens de la région de Bathurst, de la Miramichi et de Moncton que les gens d'ici et que les gens des autres parties du Canada. Nous ne devons pas avoir une vision isolationniste de notre développement économique et culturel.

Je voudrais que mon engagement éveille la curiosité des gens d'ici et nourrisse l'émerveillement qui est le nôtre afin de faire reculer un regard négatif de soumission et de fatalité qui est parfois monnaie courante dans la Péninsule acadienne. Je désire un développement économique qui sera une réponse à la richesse de nos émotions, de notre créativité et de notre potentiel humain

En ce temps de célébration du 400e anniversaire de la fondation de l'Acadie, j'ai trouvé un texte de Mgr Félix-Antoine Savard qui n'est pas si loin de nous. De 1939 à aujourd'hui, il y a une différence, j'en suis conscient. La force d'un texte, c'est qu'il sait nous atteindre toujours au-delà du temps qui passe. Ce texte est extrait de *L'Abatis*, lieu d'une parenté encore signifiante pour le peuple acadien.

> Quand je regarde la terre où tant des nôtres ont peiné et peinent encore et que je songe au patrimoine qui nous fut légué, à notre inertie, à nos grandeurs et à nos misères, un désir me vient spontanément au cœur et je vois un chef qui nous serait enfin donné. Il voudrait être, pensé-je, par la méditation, par l'étude, par le choix de ses conseils, égal à sa tâche, c'est-à-dire, au pays tout entier. Il jugerait prudent et juste de voir souvent et d'entendre par lui-même. Il connaîtrait de son peuple le caractère, les vertus et les défauts, les besoins et les périls, les traditions, l'état précis des progrès et des reculs. Il saurait qu'il est des points stratégiques pour lesquels il faut maintenir des défenseurs ou préparer des conquérants. Plus qu'à personne il serait attentif aux petits qui ne peuvent parler haut et fort et qui n'ont d'espoir que dans la justice de celui qui commande. Il n'oublierait pas que, si nous perdîmes un empire, l'héritage nous fut confié de la civilisation la plus humaine et la plus proche de l'Évangile, la plus pacifique et la plus respectueuse d'autrui. Il se rappellerait, avec fierté, devant les autres races, que la sienne ne confond point le droit avec le nombre et n'a jamais opprimé par avarice et restitué par calcul. Autonome et vivant, c'est-à-dire mû de l'intérieur de lui-même, il ne serait le jouet ni des factions fratricides, ni des complots d'argent et de la politique. Il ne diviserait pas ce que le sang et la nature a uni. Il n'estimerait pas ce que ses pères ont gagné de haute lutte comme un don de l'étranger. La justice qu'il accorderait, il exigerait qu'on la lui rende. Conscient de porter le destin de son peuple, gardien jaloux du passé, du présent et de l'avenir de tous les siens, ferme contre toute doctrine qui ne respecte pas Dieu ni la nature, il soumettrait les lois et les hommes à cette économie fondamentale qui veut qu'un peuple libre soit possesseur du sol et des ressources de son pays. Parfois, je me demande

pourquoi il faut tant d'arguments pour amener nos politiques et nos sociologues à des vérités qui sont évidentes au plus humble paysan de chez nous

En relisant ce texte de Mgr Savard qui nous sied parfaitement, je bouillonne de questions sans réponse. Dans ce projet collectif et global du peuple acadien, mon questionnement n'a jamais été assouvi, même dans cette Acadie de la modernité. Est-ce un tort ? Je suis loin de cette Acadie qui empruntait ses privilèges, pensant gagner ses droits. Souvent me revient, sans malice, pour tenir mon engagement en éveil, cette citation de Jules Verne dans son seul roman historique publié en 1889, *Famille-Sans-Nom* : « Les Anglais n'ont jamais su s'adjoindre les peuples qu'ils ont soumis, ils ne savent que les détruire. »

Avoir peur de proclamer son identité, être obligé de toujours défendre sa langue, est-ce un avenir pour un peuple ? Toujours vivre dans la dualité, ce qui est une faillite sociale à mon avis, vivre dans la dualité comme une pseudo-victoire, est-ce un avenir pour un peuple ? Vivre dans des structures bilingues qui prolongent notre inégalité sociale et se satisfaire de réponses politiques accommodantes afin de maintenir l'illusion collective me rend parfois amer. Sur le terrain, où se vit l'*acadianité*, je constate que la base sociale se détériore. J'ai toujours voulu un espace politique où la vie collective en Acadie serait moins écartelée et moins déboîtée. Dans la conscience sociale qui est mienne, je me sens mal à l'aise dans ce statut de quémandeur. On peut très bien, comme peuple, se réveiller avec des forces économiques accrues sans prendre conscience du péril de la langue française dans certaines régions acadiennes où on se dit pourtant fier d'être Acadien. Jules Verne aurait-il eu raison en présumant de notre destruction ? Malgré tout cela, voilà le schème de notre histoire qui m'amène à cette réflexion sur la tolérance au cœur du peuple acadien à partir de certaines lectures et plus spécialement dans *Les Actes retrouvés* du poète et essayiste québécois, Fernand Ouellette. Un jour, le regretté Laval Goupil, un brillant écrivain acadien, m'avait demandé une réflexion sur la tolérance et l'Acadien. C'est en sa mémoire et en hommage que je reprends ce thème qui peut nourrir notre réflexion collective en ce 400e anniversaire de la fondation de l'Acadie.

Les nombreuses souffrances d'ordre psychologique ainsi que les nombreux obstacles sur le plan socioéconomique liés à son statut minoritaire auraient très bien pu conduire notre peuple à l'intolérance, voire même au fanatisme. Et pourtant, chez l'Acadien, la tolérance est pour ainsi dire une deuxième nature. Une manière d'être qui, naturellement, l'aide à s'adapter dans le contexte de situations injustes, mais qui parfois l'entraîne à s'y complaire. Dans nos efforts pour agir selon cette norme sociale qui est celle de la non-confrontation, il s'est néanmoins développé ce respect de l'autre et de sa différence. Un contexte historique particulier nous a collectivement façonnés à la tolérance comme un prolongement logique à notre revendication. L'instinct de conservation a motivé une attitude d'acceptation de l'autre, de respect de ce qu'il est, de ce qu'il pense, pour se donner en quelque sorte le droit à sa propre identité. La tolérance n'est pas en elle même combative, d'où le danger d'un glissement vers une forme d'indifférence. Voilà ce qui m'inquiète lorsque, de nos jours, je constate l'*acadianité* en veilleuse chez plusieurs des nôtres.

La tolérance n'est pas une attitude de l'homme religieux, bien qu'un comportement vraiment religieux soit fait de tolérance et puisse la transcender. La tolérance est la conversion de l'esprit, l'affinement de l'esprit La tolérance est la disposition de ma conscience qui accepte le droit de l'autre à être totalement ce qu'il est. Quand je dis conscience, je fais appel à la fragilité et aux limites de cette tolérance. La tolérance, c'est une disposition consciente et volontaire qui peut être annihilée par un mouvement contraire à la volonté. Chez moi, comme chez beaucoup d'Acadiens, la tolérance est l'attitude d'une conscience lucide devant le problème de ma relation avec les autres qui appartiennent à cette mer anglophone et qui questionnent ou ignorent mon identité. Il ne faut pas ignorer l'instabilité de la tolérance qui est toujours en genèse, donc évolutive, dans le vécu acadien.

Je ne suis pas tolérant parce que je suis faible ou parce que je suis dans une situation précaire. Je ne suis pas tolérant parce que je suis dans une situation de pouvoir.

En Acadie, je suis tolérant parce que je veux qu'on me respecte en étant moi-même au-delà du privilège. Voilà mon combat de tous les instants dans un pays où j'ai à côtoyer une culture étrangère à la mienne. La tolérance me permet d'être et d'agir au-delà d'une tactique de ruse et de compromis.

Une lecture de notre histoire illustre les nombreuses fois où chez l'Acadien, la revendication d'être lui-même et de s'épanouir génère une tolérance dans le cadre de ses revendications.

Dans ce contexte de tolérance, je garde mon identité, car tolérer l'existence et la pensée de l'autre, ce n'est pas saborder la mienne mais l'intégrer dans son quotidien.

La tolérance suppose une absence de peur et de préjugés. Pour que je sois tolérant, il faut donc que la peur cesse, car la peur nourrit le préjugé qui se dresse contre la tolérance.

Il ne faut pas ignorer l'instabilité de la tolérance qui est toujours en mouvance compte tenu de l'espace multiculturel de notre société.

La tolérance agissante génère aussi des solidarités entre nous et avec les cultures qui sont différentes de la nôtre.

Si je nie les deux caractères fondamentaux de l'homme, à savoir son individualité et sa socialité, je ne suis pas tolérant. Je me laisse mener par mes préjugés, qui sont des murs pour me cacher à moi-même la réalité des faits. L'Acadien a été souvent victime de ces préjugés.

Avant d'être un être social, l'homme est avant tout un individu qui doit confronter le milieu qui est le sien. Dès les débuts de l'Acadie du retour, la tolérance a découlé d'une situation de survivance. Dans son parcours historique, l'Acadien comme individu n'avait d'autre choix que d'être tolérant devant des forces qui pouvaient l'annihiler. Il a de ce fait canalisé ses forces dans une concertation intelligente et revendicatrice, ce qui en fait sa grandeur. La tolérance chez l'Acadien n'a pas supplanté l'instinct de vie, mais elle lui a assuré une éclosion sûre. Un peuple sera tolérant dans la mesure où il ne se sentira pas menacé. Compte tenu de ce cheminement particulier et de notre dispersion géographique, qu'en est-il de nous, comme Acadiens et Acadiennes, après 400 ans d'histoire, au-delà des peurs et des préjugés à affronter ?

2004 donne lieu à des retrouvailles combien significatives pour notre peuple. Nous devons apprendre à apprivoiser un peuple dispersé sur cinq continents. Un apprentissage qui repose sur la valeur et les convictions des personnes qui composent notre collectivité acadienne. Le défi consiste à faire chaque jour l'apprentissage de l'identité vraie de ce peuple avec ses racines communes. Comment se vivre comme peuple à la croisée de 400 ans d'histoire ? Peut-on se vivre autrement que dans la continuité de notre histoire ? Dans l'histoire de tous les peuples, il y a des événements marquants servant de points de repère et nous n'échappons pas à la règle. Dans ce pèlerinage au cœur de son histoire, le peuple acadien ne doit pas connaître de ruptures sous prétexte que la modernité nous invite à tourner la page et à renvoyer dans notre imaginaire un passé rempli de symboles et de sens. L'originalité de notre histoire en Acadie vient de ce que notre passé a été traversé de traités, du Traité d'Utrecht jusqu'à celui de Lord Durham, d'événements que nous portons dans nos bagages et même dans nos gènes. Ils sont à la gloire de nos ancêtres qui leur ont survécu, ce qui nous appelle à être fidèles à ces êtres de passion que furent nos ancêtres. Il y a là plus que des images qui peuplent notre imaginaire. Il y eut des massacres pour la honte des uns. Ces souvenirs, quoique douloureux, sont pour nous des éléments très marquants afin que nous n'oubliions pas d'où nous venons, et vers où nous marchons sans compromis inutiles vers un avenir assuré. Tout ce qui a fait notre histoire a été et sera toujours partie intégrante de notre réalité et de notre projet collectif. Aucun compromis ne devrait nous amener à oublier le sens et les fondements de notre histoire. La plus grande infidélité à notre peuple serait de gommer, au nom de la modernité, la réalité de notre parcours historique afin d'avoir audience ou belle gueule, le compromis ultime étant celui d'aller jusqu'à manger à la table de nos conspirateurs. De notre réalité quotidienne, on pourra peut-être supprimer la langue française, mais jamais notre passé. Une autre manière de se laisser assimiler, c'est de se laisser récupérer par le système dominant, pensant ainsi mieux trouver sa place au soleil.

Ce 400e anniversaire de la fondation de l'Acadie, c'est un travail en profondeur de notre mémoire collective. Dans ce travail de la mémoire qui doit être respectueuse de notre histoire, il est bon de bâtir des ponts solides entre notre tradition et la conscience contemporaine, et cela à la lumière des innovations qui respectent notre identité. Sans se camper dans le passé, il faut dire qu'un peuple qui n'a pas d'histoire et de mémoire est sans avenir. Il ne faut pas réduire l'histoire de l'Acadie à une fable et à des mythes qui fleurissent nos textes littéraires et notre culture. Il y a plus. Avec les événements qui furent les nôtres, il faut inscrire à tout jamais l'Acadie dans le temps et selon un calendrier des événements, rendre ainsi à notre peuple, composé de toutes les générations soucieuses de signification viscérale, son histoire. En ce 400e anniversaire de la fondation de l'Acadie, la durée historique d'un parcours héroïque arrive jusqu'à nous. Dans l'entêtement et la ténacité de nos ancêtres, il y a un réel défi politique, économique et culturel dans lequel nous devons nous engager avec fierté et détermination pour que les prodiges de notre passé collectif ne soient jamais effacés par le temps. Dans leurs réalités, nos ancêtres ont dû rêver à des Anglais en charpie en se remémorant les saccages vécus. Peu à peu, l'inconscient collectif s'est purgé de toute idée de vengeance, et la tolérance est ainsi devenue une seconde nature.

Le peuple acadien, c'est toujours un peuple en éveil, comme il a été un peuple de veille, de vigie guettant sur nos côtes le retour des leurs ou les mousquets de leur ennemi. Le peuple acadien, c'est un peuple en éveil qui sait que les acquis en Acadie, ça nourrit pour un moment son dynamisme mais que peu à peu, ce même dynamisme s'endort dans l'oubli. Que ce 400e anniversaire soit comme la chanson de Zachary Richard : *Réveille !... pour vivre l'héritage...* L'espace que j'habite aussi bien que mon être subjectif et social est toujours en évolution, et je ne dois jamais dormir sur mes acquis issus d'une tolérance active. C'est ma manière d'être au monde dans la vaste francophonie, toujours en éveil.

Dans l'Acadie de la modernité, pour mieux « renchausser » notre avenir comme peuple, il ne faut jamais prendre les risques du silence quand il y va de notre identité. Il nous faut aller plus loin que notre passé. Il faut à notre tour faire notre histoire. Les luttes ne sont plus les mêmes, mais la fierté demeure la même ainsi que nos audaces. La diaspora d'un peuple comme le nôtre est d'autant plus difficile à vivre sans de fortes solidarités. Ces solidarités sont d'autant plus urgentes que des îlots francophones dans la ville de St. John et dans la Miramichi crient au secours sans être entendus. Il y a aussi l'exode des jeunes de Pointe-Sapin et de Baie-Sainte-Anne vers une école anglaise de la Miramichi qui menace l'avenir des francophones de ces communautés. En Acadie comme ailleurs, on peut facilement verser dans l'élitisme et oublier ces coins de la province où, souvent, les gens sont pris en otage au cœur de structures assimilantes. Voilà un exemple où la dualité linguistique est un leurre quand de fait cette... dualité est plus ou moins accessible en dehors du cadre purement législatif.

Le Congrès mondial acadien peut être cet élément rassembleur afin de créer des solidarités pour assurer le vivre acadien *en français* ici et ailleurs dans une réflexion lucide au-delà des illusions trop souvent nourries. C'est sans doute être alarmiste que d'écrire qu'après 400 ans d'histoire, nous sommes en danger et que jamais nous ne devrons cesser de rechercher une identité acadienne forte et enracinée. Il devrait y avoir dans la vision du Congrès Mondial Acadien cette responsabilité engagée qui, tout en étant une ouverture sur nous-mêmes, nous confronte afin que nous entrions dans un chemin de transformation pour mieux vivre l'acadianité de la modernité.

Pour que l'Acadie ait un lendemain, à la manière du grand Vigneault, je nous pose cette question : ces belles paroles de nos célébrations du 400e, allons-nous les mettre dans nos poches avec les papiers froissés de nos silences ?

En 2004, à la force de nos mémoires, nous avons mesuré le temps de notre histoire : 400 ans. Nous nous sommes souvenus. Nous nous sommes reconnus, parce que nous sommes issus de la même histoire.

Que ferons-nous de ce qui reste comme héritage à vivre ?

Il y a un pays au fond de nous, plus fort que l'oubli.

Il y a un pays au fond de nous qui n'a pas fini de naître.

Musique pour nourrir la fougue nationaliste : un choral de Jean-Sébastien Bach pour violoncelle et continuo « Réveillez-vous, la voix des veilleurs vous appelle ! »

LACHIGAN

C'est un pays imaginaire
Qu'un jour je me suis inventé
Je l'ai bâti à ma manière
Choyé par l'ombre et la lumière
Avec la mer juste à côté
Sorti tout droit de mon enfance
Je ne sais où je ne sais quand
Quelque part dans le grand silence
Entre l'Éternité Lamèque et Shippagan

Lachigan, toi mon trèfle à quatre feuilles
Aux couleurs de la fraternité
Reviens vite ici que je te cueille
Si tu me vois rêver la liberté

C'est un pays imaginaire
Mais il faut dire en vérité
Que j'y ai mis un peu de terre
Du patrimoine que mon père
De son père avait hérité
Un paysage impérissable
Peuplé de tous ses habitants
Qui ont érigé sur le sable
Des monuments qui crouleront avec le temps

C'est un pays imaginaire
Qui vient souvent me visiter
Pour m'emmener loin de la terre
Unir à l'autel du mystère
Le rêve et la réalité
Quand il accoste à ma mémoire
Filtré par le tamis du temps
Je serais fou de n'y pas croire
Même si souvent ça ne dure qu'un instant
C'est un pays imaginaire
Qu'enfant je m'étais inventé
Entre le bois et la rivière
Un jour d'école buissonnière
Que je m'y étais arrêté...

CALIXTE DUGUAY

Une manière d'être au monde

• ma culture

Il y en va de la culture comme de la respiration.

La culture respire. On l'a dans la peau. C'est entre les lignes que vit la culture.

L'art est l'espoir de l'humanité. Et la culture, c'est le véhicule qui transporte cet art.

Qui nous fait croire.

Qui nous fait vouloir.

Qui nous fait vivre.

Sénatrice VIOLA LÉGER

En écoutant Calixte Duguay, Les Muses, Donat et Émé Lacroix, la Chorale grégorienne de la Péninsule.

Né dans un fief francophone, j'ai porté en moi la réalité culturelle des miens et de mon milieu comme une nourriture quotidienne, comme l'air que je respire. J'ai toujours cru à la culture comme à une réalité vitale, comme à une force d'identification d'une collectivité. Une force qui commande tous les autres projets d'un peuple ou d'une ethnie, car dans notre culture, nous fabriquons notre image, nous fabriquons notre identité.

La culture est un appel à une recherche collective et, par le fait même, la culture invite tous les gens à mettre en commun leurs possibilités d'invention, de créativité. J'ai écrit quelque part que pour moi la culture, notre culture, c'est l'outil qui rassemble et qui dit à quoi je ressemble. Si la culture nous ressemble, elle est notre visage, elle est notre accent, notre manière de vivre. Ainsi, la culture est l'ensemble des façons de voir et de vivre caractéristiques de notre époque et de notre milieu. Dans notre culture acadienne, c'est toute notre vision du monde et notre perception de la personne humaine, de sa relation aux autres, du sens de la vie, de l'organisation sociale et même économique. Notre culture s'exprime dans la langue des gens de chez nous, avec ses accents régionaux, qui est notre outil de communication. Notre culture, elle est vivante comme nous. Elle nous ressemble, car elle fait de nous-mêmes les acteurs de notre histoire.

Notre culture, aussi, elle nous rassemble. C'est ainsi que la culture acadienne est le phénomène rassembleur par excellence autour de notre histoire, de nos manières de vivre, autour de nos artistes, de nos symboles. En Péninsule acadienne, la culture, au-delà de nos tiraillements et de nos esprits de clocher, c'est le seul et unique élément rassembleur.

En 1982, la conférence de l'Unesco à Mexico déclarait que la culture englobe les systèmes de valeurs, les traditions et les croyances.

Le philosophe Thomas de Koninck abonde dans le même sens dans son ouvrage *La nouvelle ignorance et le problème de la culture* :

> *La culture permet non seulement d'éveiller un peuple, mais aussi de le tenir éveillé. Quand il n'y plus de culture, il n'y a plus de place pour l'humain. La communauté ne peut se passer de l'imaginaire collectif, de rites et symboles.*

En écrivant un texte du livret-programme du 40e Festival acadien, je rejoignais cette affirmation du philosophe. Investir dans la culture, c'est semer l'avenir à pleins champs. Refuser d'investir dans la culture, c'est décréter la mort lente d'un peuple.

Si j'ai pu m'engager dans la culture d'ici et donner un peu de moi-même, c'est que j'ai été éveillé par l'élan créateur des artistes eux-mêmes qui ont été sur mon chemin, celui des semeurs de culture. J'ai toujours été interpellé au cœur de mon être par la grandeur de la démarche des artistes et des écrivains en Acadie.

Quand j'écoute, quand j'entends, quand je regarde, quand je lis, devant l'artiste mon cœur s'incline et s'ouvre au meilleur de mon être et du peuple acadien. Dans les mots, la musique, c'est beaucoup de mon identité qui se révèle.

L'artiste au cœur de notre peuple, c'est son visage marqué par son histoire, c'est son avenir des plus prometteur. L'artiste chante l'intensité de notre destin comme peuple et, souvent, le rêve le plus beau, le plus accompli.

L'artiste joue sur la scène le mystère inavoué de nos vies, et le public entre dans cet échange. L'artiste nomme en couleurs et en images les ombres et les lumières de notre voyage comme Acadien et Acadienne, au cœur d'un monde qui retient le soleil à son couchant. Et souvent, les artistes nous font l'amour dans la beauté des personnes que nous sommes.

La fière dignité de notre passion tenace, la justesse de nos paroles transformera plus que le papier.

Dans cet extrait d'un poème de Rose Desprès, intitulé *La vie prodigieuse,* est nommé l'élan créateur de nos artistes, cet élan créateur qui a été le souffle de mon engagement. Je me sens en lien avec les artistes, et surtout avec les poètes et chansonniers acadiens. Comme nous, les poètes nomment les choses, les événements et les états d'âme, mais avec cette différence que nous, nous les nommons pour ne plus les voir tandis que les poètes les nomment pour leur permettre d'exister toujours dans la profondeur, au-delà du temps et de l'espace, comme dans une nouvelle naissance. Et cela, dans des écritures géniales qui sont exigeantes et libératrices. Dans les chambres closes de nos vies, les poètes acadiens ont ouvert des fenêtres. Ils y ont apporté le souffle d'une parole qui, dans les mots, est un regard d'avenir sur la vie de l'Acadie.

C'est pendant mon séjour à Caraquet, la capitale culturelle de l'Acadie, que j'ai vécu ma culture à pleine voile. À l'occasion d'une causerie à la Maison de la culture chrétienne à Caraquet, sur la galerie du presbytère, j'ai osé ce propos : *la foi et la culture acadienne*. Voici l'essentiel de mon intervention.

Je dirais que notre culture acadienne retrouve cet élément rassembleur dans son apogée au cœur du Festival acadien. Pendant mon séjour de 7 ans ici à Caraquet comme responsable de la communauté chrétienne Saint-Pierre-aux-Liens, j'ai vécu avec intensité cette culture qui nous ressemble et nous rassemble. Vous m'avez permis de vivre ce que j'étais en consolidant avec vous ce que j'appelle le mariage entre la foi et la culture en respectant mes goûts personnels et les convictions qui m'habitaient. Qui aurait dit qu'un jour que la galerie de ce presbytère deviendrait un lieu de prise de parole, de musique et de chansons ? Cette galerie qui deviendrait un forum d'expression, un lieu culturel où nous partagerions nos convictions. C'est un heureux mariage entre la foi et la culture.

Avant de prendre la parole, je vous ai invité à écouter avec votre cœur cette belle chanson de Yves Duteil ayant pour titre *La langue de chez nous*. S'il y a eu un lieu dans notre histoire où les combats ont été menés par nos ancêtres comme un projet culturel, politique et religieux, c'est bien ce combat pour la conservation de notre langue. Qui dit langue en Acadie, touche une réalité au cœur d'un fait historique englobant qui relate toute notre histoire, aussi bien nos luttes et nos combats quotidiens que nos conquêtes et nos victoires en éducation, où tout s'est côtoyé dans un heureux mélange d'histoire, de foi et de culture.

C'est bien vrai : c'est une langue belle…
elle a jeté des ponts par-dessus l'Atlantique
on parle encore la langue de chez nous
en écoutant chanter les gens de ce pays
on dirait que le vent s'est pris dans une
harpe et qu'il a composé toute une symphonie

Depuis 1604, tous les projets dans ce qui sera l'Acadie, les projets aussi bien politiques, économiques que culturels, ont eu une dimension religieuse que je n'ai pas à prouver. Il n'y a qu'à relire notre histoire. Je dirais que cette complicité religieuse au cœur des événements historiques que furent les nôtres nous ont conduits sur cette galerie du presbytère ; un lieu qui veut non pas imposer, mais proposer le sens chrétien du Festival acadien. Un événement qui prend généreusement appui sur notre passé non pour le remettre en cause ou le reproduire, mais pour y voir la possibilité d'invention effective dans notre culture acadienne d'aujourd'hui.

Dans la mise en œuvre d'un processus qui va de la culture à la foi et de la foi à la culture, qu'est-ce que ma foi chrétienne peut apporter à la culture acadienne aujourd'hui ? Quand je dis foi chrétienne, je dis une foi pensée et repensée à travers la culture d'ici et de maintenant, et non pas celle du passé. Je me pose une question dans cet espace de liberté que vous me donnez, chers amis d'ici et d'ailleurs en visite chez nous pendant ce Festival acadien, et dans cette capitale culturelle où nous baignons dans la culture acadienne comme un poisson dans l'eau. Dans cette question posée, je ne voudrais aucunement nommer une foi chrétienne qui est vécue comme un entêtement ou un attachement à des traditions motivées par la peur et les craintes des puissances terribles épiant nos faits et gestes, une foi comme une soumission aveugle et non libératrice. Je voudrais nommer une foi qui serait autre chose qu'un refuge, mais plutôt cette foi questionnée, une foi intelligente et renouvelée où les femmes et les hommes que nous sommes se découvrent constructeurs, innovateurs, créateurs ici dans notre culture avec le courage de nos ancêtres. Une foi faite d'audace et de courage comme notre culture, qui porte cette foi. Une foi de proximité : au lieu de partir d'un Dieu menaçant, tout-puissant et lointain avec lequel il faut négocier et bâtir des ponts, il faut plutôt partir d'un Dieu proche qui ravive l'expérience spirituelle au cœur de la vie des gens d'ici, et cela dans une culture particulière qui est la culture acadienne.

Un grand pédagogue, Erikson, a écrit : « Nous sommes ce qui nous survit. » Sans prétention, j'ajouterais qu'en Acadie, dans la continuité de notre histoire et de notre tradition religieuse, nous sommes ce qui nous survit. Dans notre société où tout se joue à court terme, je dirais que dans notre histoire de l'Acadie, notre tradition religieuse est un des rares lieux qui se joue à long terme. Cette tradition religieuse est porteuse d'une responsabilité culturelle pour autant que dans ses symboles, dans son langage, elle exprime ce que nous sommes. Dans ce domaine, des pas ont été faits. J'affirmerais que la profondeur de l'expérience spirituelle d'un peuple assure son avenir culturel et la survie de ses projets collectifs. Ce fut notre cas, et je souhaite que cette caractéristique des espérants lucides, têtus et entreprenants que nous avons été et que nous sommes, demeure dans l'éclatement de notre réalité acadienne. Je voudrais que cette tradition chrétienne soit pour longtemps l'expression de nos raisons de vivre, de nos sensibilités, de notre univers symbolique, de nos engagements, de nos luttes collectives de libération et de nos ouvertures sur Dieu.

La foi chrétienne, dans son caractère universel, s'adresse à toutes les nations, à toutes les cultures, mais doit être nécessairement portée, médiatisée, incarnée, vécue dans une culture particulière ; et en ce qui nous concerne, c'est la culture acadienne que j'aime tant qui doit être porteuse de cette foi qui est la vôtre, la mienne.

Je dirais que le chemin du croyant que je suis est le même que le chemin de l'artiste : le chansonnier, le poète, le romancier, le comédien et la comédienne, dans les arts de la scène comme dans les arts visuels. Ce chemin qui est le même, c'est le chemin de la beauté, qui est un chemin privilégié vers Dieu. Si l'artiste exprime à sa manière son désir de rendre visible l'invisible et ainsi de percer la surface des choses pour en connaître le dedans, le croyant que je suis cherche lui aussi à se frayer un chemin vers le mystère pour y découvrir un royaume tout intérieur. Il y a là une vocation commune qui annonce ce mariage entre la foi et la culture.

L'expérience que nous vivons en visitant à l'intérieur les photos d'un grand art de Yvon Cormier, où le patrimoine religieux est porteur de sens, et ce partage sur cette galerie nous démontrent la pertinence de cette vocation commune au sein de la culture acadienne qui peut encore être porteuse d'une foi qui rend libre et qui est à l'œuvre aussi bien à l'extérieur qu'à l'intérieur des églises.

Merci aux organisateurs et aux organisatrices qui ont pensé ce carrefour des échanges entre l'art et la foi. Merci à vous tous et toutes de risquer avec nous cette aventure où nous sommes appelés à créer, à construire un monde plus beau, plus authentique et donc plus humain et, pour moi plus chrétien, au sein d'une culture qui nous ressemble et nous rassemble.

Voilà les quelques réflexions que j'ai voulu partager avec vous : notre service de la foi dans la culture acadienne aujourd'hui. Je suis venu vers vous comme un ami acadien convaincu que l'héritage religieux et chrétien en Acadie a marqué notre culture, l'a transformée parfois avec des accidents de parcours et des limites dont je suis très conscient.

Mais en portant un regard sur la culture acadienne d'aujourd'hui, qui ne porte plus de la même façon la foi chrétienne comme elle l'a portée, et même en marge des alignements du passé, il faut toujours garder l'espoir, car sans espoir notre espérance n'a pas de racines.

Dans le paysage culturel acadien, le théâtre s'est taillé une place de marque qui dépasse les frontières de notre milieu. En Péninsule acadienne, nous sommes riches de la compagnie du Théâtre populaire d'Acadie qui, depuis plus de 25 ans, divertit un public fidèle. Depuis de nombreuses années, cette machine cybernétique qu'est le théâtre, au lever du rideau, envoie à l'adresse du public un message, un divertissement, grâce aux talents de comédiens qui, ayant conscience de leur métier, dominent habilement les contraintes d'un tel métier. J'ai eu le privilège de partager le poste de président au conseil d'administration du Théâtre populaire d'Acadie. À l'occasion du Gala soulignant le 25e anniversaire de son existence, le 16 octobre 1999, j'ai rappelé l'apport prestigieux de cette compagnie d'ici au cœur de la culture acadienne :

Heureux de vivre avec vous cette fête qui est au rendez-vous en cette soirée d'automne au théâtre de nos vies. Un gala où nous accueillons 25 ans de prestations théâtrales comme un héritage de noces d'argent au cœur de notre patrimoine culturel en Acadie et au Canada francophone.

Pour les artistes de la scène du Théâtre populaire d'Acadie, ceux d'aujourd'hui et ceux d'hier qui nous ont quittés, pour vous ici au Carrefour de la Mer, pour le monde qui est à l'écoute de son cœur quand la PAROLE est libérée sur la scène, j'ai voulu ces paroles, ces mots, car ma vie est aussi au service d'une PAROLE.

J'ai puisé dans le grenier de mes souvenirs pour retrouver dans ma vie le goût du théâtre comme on revient à ses premières amours. Au collège du Sacré-Cœur de Bathurst, dans une pièce *Les Pirates*, j'ai vécu l'expérience d'oser un personnage. Mais le risque dépassait ma mesure et j'ai regagné vitement le fauteuil du spectateur, car je n'avais pas l'étoffe du comédien qui risque dans son métier une mise à nu avec générosité et audace, ces qualités que me révélèrent plus tard, tant de fois, les comédiens et les comédiennes du TPA. En devenant au collège le spectateur engagé des grands classiques grâce au Théâtre populaire du Québec et aux Compagnons du Saint-Laurent à l'époque, je participais à une expérience qui rejoint ce 25e du TPA qui nous rassemble. Cette compagnie de théâtre, la nôtre, rivalise de talents avec toutes les autres que nous connaissons.

Dans une pièce de Paul Claudel, une œuvre dramatique que j'ai fréquentée lors de mes études littéraires, d'entrée de jeu, l'annoncier, avec une voix d'autorité, débute la pièce *Le Soulier de Satin* comme dans les tragédies grecques et intervient en disant, après les seize coups d'usage :

> Écoutez bien
> Ne toussez pas
> et essayez de comprendre.
> C'est ce que vous ne comprenez
> pas qui est le plus beau.
> C'est ce qui est le plus long
> qui est le plus intéressant.
> et c'est ce que vous ne trouvez pas amusant
> qui est le plus drôle.

Ce texte un peu contradictoire nous introduit au jeu théâtral où l'interprétation des artistes devient l'exercice d'une grande liberté, mais aussi où l'accueil du public aura la liberté de rendre beau ce qui souvent nous échappe avec assez d'humour pour rendre drôles les situations que masque souvent notre peur de vraiment vivre. Si ce n'était que pour cela que le théâtre existe, nous serions heureux de l'acclamer en cette soirée de gala.

Quand j'ai reçu le coup de fil de Claire Normand me demandant d'intervenir à ce 25e anniversaire, j'étais à regarder le soleil timide d'automne à travers une feuille morte que le vent près de ma maison avait menée jusqu'à moi. La feuille morte se détache de l'arbre et se donne à nous comme l'artiste qui sait mourir à sa condition antérieure pour renaître dans un état nouveau dans son personnage, comme l'écrit si bien Mircea Eliade.

Dans le quasi-néant de cette chose qu'est la feuille morte, à travers sa transparence, dans ce que j'appelle *L'insoutenable légèreté de l'être*, comme l'écrit Milan Kundera, je reçois des comédiens l'être qui se révèle dans un personnage que le public accueille ou rejette. Je me suis dit : c'est ça, le théâtre. Une feuille morte qui me sert de filtre pour mieux me regarder vivre à la lumière du soleil. Le théâtre, comme la feuille morte, me permet de découvrir, à travers toutes les composantes des couleurs d'une feuille, un monde que j'invente aussi fragile qu'une feuille morte, mais aussi bien refait par le génie et le talent des artistes.

Le théâtre s'interpose entre le spectateur que je suis et la vie comme la feuille morte entre moi et le soleil. Le comédien provoque, il interpelle, il choque, mais surtout il invite à faire un pas de plus dans la vie car, souvent, le personnage est une autre facette de mon être que j'applaudis parce que c'est du théâtre. C'est ainsi que le théâtre est aussi beaucoup de ma vie non avouée. En fêtant le 25e anniversaire du TPA, c'est aussi une approche de la création artistique dans les arts de la scène que nous célébrons. Une création brillante parce qu'elle est fondée sur la liberté, et cette liberté responsabilise les artistes et le public que nous sommes.

Au théâtre, on ne juge pas les gens, on démontre ce qu'on voit autour de nous et le spectateur a la liberté de prolonger ce à quoi il a participé.

L'artiste sur la scène est comme l'enfant qui, le matin, sort de son lit. Il ouvre un œil pour mieux voir le monde qui sera l'hôte de son jeu. Il s'étire pour mesurer la dimension du possible de son être pour le jeu scénique qui sera le sien. Puisque le théâtre est aussi des gestes du corps et des mots, il se lève et pose un pied sur les planches du tréteau pour ajuster le poids de ses capacités au personnage qui deviendra beaucoup de lui-même.

Enfin debout, l'artiste regarde son public qu'il aime pour voir plus loin que le visible et rapporter de sa quête tout ce qui nous éveille à la vie au-delà des interdits et des faux-semblants. Tout cela, les comédiens et les comédiennes du TPA l'ont fait comme l'enfant le fait chaque matin et avec eux, ce soir, nous voulons le reconnaître.

Pendant 25 ans, la Parole au spectacle a rompu le silence de notre coin de pays et encore aujourd'hui, il y a en nous une résonance dans cette fête pour mieux rendre hommage à ceux et à celles qui risquent une expérience profondément humaine.

Comme l'écrivait Albert Camus, *l'acteur règne dans le périssable et si sa gloire est éphémère, sa vie l'est davantage.*

Ce soir, il y a plus que des souvenirs. Il y a dans notre écoute, dans nos cœurs et sous nos yeux, deux visages, des accents qui sont musique et qui nous rejoignent. Il y a des artistes qui se sont retirés trop tôt. Le rideau est tombé, les lumières se sont éteintes. Ces artistes, Bernard Dugas et Jeanine Boudreau, nous reviennent dans la grandeur des personnages qu'ils ont vécus.

Bernard Dugas, c'était l'autre besson. Sur la scène, il était tendresse et violence. En le regardant, public complice d'un soir, c'est dans la confiance qu'il osait dire. Épris de l'acteur qu'il était et pris dans le filet de son jeu, il savait nous ramener, à sa façon, avec son talent, au voyage de chaque jour.

Jeanine Boudreau ; dire son nom, c'est essayer de ramener plus proche de nous celle qui se consumait dans une PAROLE aux accents de feu. Son timbre de voix au théâtre était un appel du cœur. Je la revois, immobile, et je retiens d'elle qu'il faut être présence avant de dire le mot, avant de libérer une parole. Avec elle, souvent, le jeu scénique cessait d'être un jeu puisqu'elle y mettait toute sa vie.

Bernard et Jeanine et tous les artistes du Théâtre populaire d'Acadie nous ont invités, par le biais du théâtre, à sortir d'un monde de jugement pour entrer dans un univers de compréhension consciente. Car souvent, les artistes au théâtre sont la conscience d'un peuple.

Je cite un extrait d'une pièce de Shakespeare : *Le spectacle,* dit Hamlet, *voilà le piège où j'attraperai la conscience du roi.*

Attraper est bien dit et il faut la saisir au vol, cette conscience où se joue la vérité de nos existences. Personne n'aime s'y attarder. Mais quand je viens au théâtre, je suis comme mis à l'écart et je risque comme public de me laisser déranger et de me laisser changer par la différence de l'autre qu'est le personnage.

Le spectacle est réussi quand le public que je suis sait donner la meilleure part de son être au jeu du comédien. Quand j'y entre avec mon esprit et mon cœur, au-delà de mes résistances, le théâtre est aussi vrai que la vie.

Je voudrais terminer en disant merci à René Cormier, directeur artistique, à tout le personnel et aux artistes. Pendant mon séjour à Caraquet, merci d'avoir eu l'audace de risquer l'amitié avec moi en brisant le mur d'une certaine timidité que j'ai bâti autour de moi pour mieux me protéger. Merci d'avoir cru en moi et de m'avoir guidé dans le chemin le plus beau qui soit, celui du cœur.

Ne sommes-nous pas, tous et toutes, des êtres de théâtre que la vie charrie comme la feuille morte ?

Comme intervenant culturel, je termine ce chapitre sur la culture comme lieu d'engagement et lieu d'affirmation de soi très proche de mon cœur. Il y a des redites et j'en suis conscient, heureusement. Des redites qui reviennent comme les refrains de nos plus belles chansons pour mieux imprégner notre mémoire.

Un philosophe français, Bergson, a écrit : *Je ne vois qu'un moyen de savoir jusqu'où l'on peut aller, c'est de se mettre en route et de marcher.*

C'est ainsi que je vis notre culture comme une marche où chacun est conscient de porter un pouvoir culturel que nos artistes diffusent dans leur créativité et leurs talents. C'est dans ce sens que, à l'occasion d'un colloque culturel en mai 1983, j'affirmais que les artistes acadiens étaient des conspirateurs culturels et cela, dans le sens positif du mot.

Dans son ouvrage *Le phénomène humain,* Teilhard de Chardin donne au mot conspirateur la définition suivante : *la conspiration suppose à son principe l'aspiration commune.* Nos artistes sont habités par cette passion qui nourrit l'aspiration commune au cœur de notre peuple. C'est à travers nos artistes que je fais l'apprentissage de ma propre culture, qui me dit mon nom.

Une manière d'être au monde

• mon option chrétienne

Dieu est plus facile à tuer qu'un moineau et son cœur plus aisé à déchirer qu'une feuille de papier – même les enfants le savent.

CHRISTIAN BOBIN

J'ai été l'enseignant des génies littéraires au Séminaire Saint-Charles, au collège de Bathurst et à l'Éducation permanente de l'Université de Moncton, et comme tuteur dans un cours de philosophie au campus de Shippagan. En plus d'être l'enseignant, j'ai été marqué dans ma quête personnelle par la pensée de ces êtres qui, dans leurs œuvres, donnaient un sens à la condition humaine, à la vie. Tous ces écrivains, ces penseurs, m'ont ouvert des nouveaux chemins dans mon option chrétienne. J'ai retenu d'André Gide l'inquiétude, la ferveur et la sérénité, et surtout le sourire de l'acceptation de tout ce qu'on ne peut changer dans nos vies. Paul Claudel a été mon compagnon dans tous les combats de ma vie. Albert Camus m'a appris, au-delà de la révolte, à aimer l'humanité en acceptant de me compromettre sur le terrain avec les humains.

Antoine de Saint-Exupéry m'a permis de croire que l'empire de l'homme est intérieur. Dans les cours de sciences religieuses au Collège de Bathurst, j'ai tenté une réconciliation de la pensée d'un jésuite, le père Teilhard de Chardin, et de la quête d'absolu dans l'œuvre littéraire de Saint-Exupéry. Cet écrit a été ma recherche de lumière dans un acte de foi, parfois difficile, mais toujours constant dans ma vie et dans mes engagements.

Le genre littéraire qui me convient le plus, c'est l'essai. D'abord, car ma vie a été un essai exigeant tout de moi. J'ai voulu trouver, dans une aventure sincère, la vérité singulière de mon être en savourant *toutes les grappes et les fruits de la vie*, dans une démarche remplie d'humanité et toujours ouverte sur Dieu.

Par tempérament, j'ai refusé très tôt dans les forces latentes de mes engagements d'être l'homme-objet qui se vit dans une attitude de passivité. J'ai voulu à ma façon être l'homme-concret, un être-en-situation qui, dans l'exercice de sa liberté, a pris sa place dans son milieu, même dans son Église. Un homme pensant, conscient d'une fonction privilégiée qui est la sienne. Malgré les changements, je me vis toujours ainsi, à la recherche de mon identité. En me vivant ainsi, je me définis dans ma culture ouverte et sans préjugé. Une lucidité caractérielle m'amène à questionner ma condition humaine où, chaque jour, je me construis dans une exigence de sincérité et d'authenticité. Au cours de cette aventure qui est mienne, je livre un véritable combat en me demandant parfois à quoi ou à qui se fier. Je me découvre « un *infiniment petit* » dans ce rouage existentiel où souvent, tout me dépasse dans cette quête du Graal. À la manière de Pascal, l'auteur des *Pensées*, « l'infiniment petit » que je suis demeure inventif pour mieux affirmer mon autonomie personnelle. Tout être humain dispose de forces, d'énergie, non pas seulement pour inventer des machines et les faire fonctionner, mais aussi pour atteindre une intelligence plus profonde des êtres et des choses. Dans une tirade, Antigone s'écrie : « Il y a beaucoup de choses admirables dans le monde, mais rien n'est plus admirable que l'homme. » Voilà une affirmation qui me dit qu'il est urgent de nous éveiller à la conscience et au développement de ces forces multiples qui sont en nous.

En ma personne, l'homme enraciné a fait place à l'homme manipulé. Dans le vent des désirs superficiels qui nourrissent l'instabilité de l'individu que je suis, mes racines m'ont permis de réconcilier cette force d'affirmation qui m'habite depuis mon enfance. Dans mes prises de parole, j'ai toujours invité mes partenaires de vie à développer une intelligence nouvelle, une raison supérieure, une raison transcendante pour pouvoir contrôler et guider la technologie qui est notre monde aujourd'hui, et qui risque sans nous de se transformer en un monstre inconscient capable d'abrutir les belles personnes que nous sommes. J'ai toujours cru à une révolution intérieure dont la finalité est de créer des rapports nouveaux avec soi-même, avec les autres, avec la société, avec l'environnement. Quant à moi, j'ai vécu une réconciliation consciente dans ce brassage des idées qui m'ont permis de faire de mon option chrétienne un choix plus éclairé.

Le mérite des écrivains du 20e siècle est de prendre conscience d'un aspect de l'homme jusqu'alors négligé, le sens de la vie. Leur arrivée à ce moment de l'histoire leur permet, mieux que leurs prédécesseurs, de s'interroger en rapport avec cette dimension essentielle. Les transformations sociales amenées par les révolutions industrielle et technologique, les conséquences des guerres, de la misère, de la souffrance, de l'incompréhension des hommes, poussent les romanciers, les dramaturges, les poètes et les penseurs à creuser le problème de l'homme qui est au centre de cette histoire. Leurs réactions sont différentes puisque très souvent, leur vision de la vie est divergente. Je retiens trois noms : Antoine de Saint-Exupéry, Teilhard de Chardin et Paul Claudel. Quant aux deux premiers auteurs, leur vision de la vie, tout en ayant certaines ressemblances, se distingue par le fait que Teilhard de Chardin part de la science pour aboutir à un Dieu personnel, tandis que Saint-Exupéry est guidé par une foi en l'homme seulement. Paul Claudel traduit dans son œuvre une quête de Dieu où un idéal d'humanisme chrétien intègre les valeurs culturelles et sociales de l'univers. J'ai constaté que le cheminement de la pensée de ces écrivains suit le même processus, à savoir le pourquoi de l'existence, ma place dans l'univers pour finalement poser la question d'un Absolu. Dans cette recherche de Dieu qui est aussi la mienne, j'avais rédigé, en vue de l'obtention d'un certificat en Sciences religieuses à l'Université d'Ottawa, une étude comparative entre Antoine de Saint-Exupéry et le jésuite Teilhard de Chardin, afin de vérifier à travers eux les assises fondamentales de ma foi. J'y vois un chemin de lumière malgré la lourdeur du texte académique.

PERSPECTIVE SPIRITUALISTE DE SAINT-EXUPÉRY

Il est bon de connaître un peu Saint-Exupéry avant de le rencontrer dans ses œuvres. « Saint-Exupéry n'a rien écrit qu'il n'ait vécu. »[1] C'est là une donnée primordiale qu'il ne faut pas oublier. Toutes les valeurs qu'il prône, il les a lentement mûries au sein d'une action pleine et exigeante et ces mêmes valeurs, il les a profondément incarnées. Tout jeune encore, il manifeste un goût particulier pour la mécanique, goût qui le conduira à devenir pilote de ligne. Il gardera toujours un tendre souvenir de son enfance auquel il se rattachera plus tard. Par contre, la religion artificielle de son milieu l'a dégoûté. Une religion négative ne convenait nullement à ce jeune épris de vie et d'action.

Son métier de pilote l'a mis en communion avec un espace immense, un horizon élargi. Le fait de se mesurer au

1. Saint-Exupéry, *Terre des hommes*, Éditions Gallimard, France, 1966, 243 p., p. 7.

danger lui a permis de se mesurer avec lui-même. « L'homme se découvre quand il se mesure avec l'obstacle. »[2] Il est alors obligé de prendre conscience de ce qu'il est et aussi de constater sa relation avec le monde. La vie de Saint-Exupéry comme pilote de ligne n'est certes pas des plus prosaïques. Lorsque sa propre vie dépend de l'intégrité d'un collègue et réciproquement, comment ne pas avoir une haute idée de la valeur d'un camarade ? Son métier sera pour lui la meilleure école de la fraternité et du partage. « La grandeur d'un métier est, peut-être avant tout, d'unir les hommes ; il n'est qu'un luxe véritable et c'est celui de relations humaines. »[3] Le *nœud des relations* n'est pas facile à faire ; comme le nœud de cordée, il irrite parfois la peau, il limite les gestes mais on se sent plus en sécurité, plus *enracinés*.

De ces grandeurs de vue va éclore un humanisme qui va faire jaillir « l'homme, commune mesure de ce peuple et de moi – commune mesure des peuples et des races – essence de ma culture, clef de ma communauté, principe de ma victoire. »[4]

Saint-Exupéry commence dès lors à philosopher. Il se penche sur l'homme qu'il est, avec une profondeur de pensée, pour percer le mystère de cet être « qui est construit à l'intérieur. »[5] Il en recherche les vraies dimensions, il perçoit des appels et des aspirations en relation avec sa vocation la plus essentielle. Son intériorisation progressive amène la solitude car il est seul avec lui-même, solitude qui n'est pas un poids mais l'occasion d'une prise de conscience de sa liberté. Alors il se pose la question : *Comment être libre ?* Par la réflexion et peut-être aussi en référence avec son métier, il voit la nécessité d'une cause extérieure qui justifie son action

---

2. Saint-Exupéry, *Pilote de guerre*, p. 222.
3. LeBel, Maurice, *Études littéraires*, t. II, Montréal, Centre de psychologie et de pédagogie, 1964, p. 336.
4. Saint-Exupéry, *Terre des hommes*, Éditions Gallimard, France, 1966, 243 p.
5. Saint-Exupéry, *Citadelle*, Éditions Gallimard, Paris, 1956, 531 p., p. 197.

et son existence. Alors Saint-Exupéry opte pour le don de soi, réel et objectif, car la vérité qui le justifie est en progression constante. Il opte aussi pour la solitude qui a une grande valeur en même temps qu'elle est la préservatrice des valeurs, « car tu es ainsi fait que tu ne peux vivre seul. » [6] On n'a qu'à relire *Le Petit Prince* pour déceler toute la signification de sa solitude. À l'intérieur de celle-ci, il retrouve sa liberté, condition essentielle pour assumer sa vie, liberté qu'il traduit par « bâtir son âme », liberté d'un homme d'action qui évolue à travers les difficultés de la vie : « la liberté à travers la contrainte et il ne me paraît point absurde de chercher dans la qualité de mes contraintes la qualité de ma liberté. »[7]

Pour Saint-Exupéry, le problème de son existence propre trouve une solution dans une sortie de lui-même, tout en conservant son sanctuaire intérieur. Ces deux réalités deviennent chez lui interdépendantes et essentielles à sa propre édification.

Cette découverte de lui-même remet l'univers en question puisqu'il y est inséré et qu'il entretient avec lui des contacts. Dans son approche des hommes, il cherchera à les pénétrer, à connaître leur profondeur, leurs exigences, leur désarroi souvent. Il se pose donc face à une réalité existentielle. Sera-t-il sourd aux appels de ses frères ? Les laissera-t-il cheminer aveuglement ou bien tentera-t-il d'apporter une solution à leurs problèmes ? Aura-t-il la simplicité de leur communiquer ses propres découvertes ? Saint-Exupéry a cerné la condition de l'homme dont la vie est menacée de sclérose, et il se sent responsable de leur apporter le salut : « Peu m'importe à moi que l'homme soit plus ou moins comblé, ce qui m'importe c'est qu'il soit plus ou moins homme. »[8] Son désir de bâtir des âmes et de forger des hommes constituera la raison de sa vie. On voit par là qu'il opte pour un

6. *Ibid.* p. 187.

7. *Ibid.*, p. 344.

8. Saint-Exupéry, *Citadelle*, p. 181.

humanisme qui se traduit dans l'épanouissement de l'homme. S'il y consacre le meilleur de lui même, c'est qu'il a foi en la grandeur de l'homme. Sa théorie n'est pas superficielle, elle repose sur le dépouillement qu'on traduirait aujourd'hui par pauvre. Elle exige le dépassement de soi et l'enracinement qui permet d'être très présent à soi-même pour être plus présent aux autres. C'est une ligne de vie qui ne va pas sans sacrifice, sans effort, sans amour. Saint-Exupéry s'appuie beaucoup sur l'intériorisation, qui est un moyen de se situer dans le monde, de se relier aux autres tout en restant fidèle à soi-même. Il croit à la communion universelle des êtres, mais il se pose comme préalable l'unification en soi-même d'abord. S'il croit qu'il a quelque chose à recevoir d'eux, c'est que l'homme s'accomplit par les autres et pour les autres : « L'homme est un nœud de relations. »[9]

L'amitié humaine revêt à ses yeux une importance de premier ordre. *Le Petit Prince* met en relief la valeur des liens qu'on crée et de la responsabilité que cela entraîne : « On est responsable de ce qu'on apprivoise. »[10] Cette responsabilité qui découle des relations profondes et gratuites, pour être vraie, doit être assumée jusqu'au bout, acceptant la souffrance, l'échec ou la séparation ; autrement, on se paie de mots. Son ambition ne se limite pas à son moi, mais elle tend vers une humanité à édifier où l'homme prendra toute sa signification dans une responsabilité qui grandit l'homme et le pousse à faire des actions qui le transcendent, tel l'exploit de Guillaumet, dans la cordillère des Andes, à l'occasion de la chute de son avion. Un misanthrope aurait crevé comme un chien dans la cordillère des Andes.

Saint-Exupéry a compris qu'en se personnalisant et en essayant de bâtir l'humanité, il se réalise, parce qu'il pose sa pierre à l'édifice. Son ambition consiste à créer une civilisa-

9. Saint-Exupéry, *Pilote de guerre*, p. 100.
10. Saint-Exupéry, *Le Petit Prince*, p. 72.

tion fondée sur la fraternité, la paix et l'harmonie. Il veut faire prendre conscience aux hommes de leur solidarité dans l'édification de la Terre des hommes, mais il reste quand même avec une inquiétude : il sait que « ta pyramide n'a point de sens si elle ne s'achève pas en Dieu. »[11] Il cherche toujours cet Être qui pourrait faire la synthèse de ses idéaux.

L'humanisme, tel qu'il a été vu jusqu'à présent, ne peut être complet car il lui manque une dimension essentielle, la dimension spirituelle. Face à son incomplétude, Saint-Exupéry sent le besoin d'un Absolu, la nécessité d'un Dieu. Las des hommes, il s'écrie : « Apparais-moi, Seigneur, car tout est dur lorsqu'on perd le goût de Dieu. »[12] Toutes les choses n'ont aucune signification sans un Être qui puisse en faire l'unité, car l'homme n'a de sens qu'à travers Celui qui est. Aussi s'exclame-t-il : « Qu'ai-je à faire, Seigneur, tel que je suis ? »[13] C'est une recherche de la présence de Dieu. Devant ce besoin d'un Dieu qui répondrait à son désir d'une vérité justificatrice de son existence, il prend une attitude de silence. Mais un silence dans lequel Dieu ne se révèle pas, et c'est alors que : « Je me sentais sans clef de voûte et rien ne retentissait plus en moi. »[14]

Sa déception est grande, mais il reste quand même optimiste. Il conclut que « la marque de la divinité c'est le silence même. »[15]. Saint-Exupéry livre une expérience personnelle et le Dieu qu'il nous révèle se bâtit par la raison, le Dieu qu'il prie est le Dieu muet. Ce sont deux approches incompatibles avec le Dieu personnel, le Dieu communion, le Dieu qui se révèle. Ces appels ne rejoignent pas le Dieu qui peut apaiser, consoler, réconforter. Ce serait trop exiger d'un « gra-

11. Saint-Exupéry, *La Citadelle*, p. 232.

12. *Ibid.*

13. *Ibid.* p. 516.

14. *Ibid.*, p. 220.

15. *Ibid.*, p. 228.

nite froid ». Tout de même, Saint-Exupéry a le sens large de Dieu, le sens des valeurs incontestables. Sa religion d'un Dieu à sa mesure devient pour lui un stimulant et une source d'espérance.

L'humanisme que Saint-Exupéry a vécu et qu'il propose ne répond pas pleinement à nos attentes, mais son altruisme fondamental qui le pousse à mettre très haut dans son échelle des valeurs les notions de fraternité et de solidarité lui donne beaucoup de résonance chez les adeptes de la religion chrétienne. La Genèse nous propose un travail assez similaire. « Yahvé prit l'homme et l'établit dans le jardin d'Éden pour le cultiver et le garder. » (Ge. 2,15) Le chrétien a lui aussi la responsabilité d'achever la création dans la mesure de son travail quotidien. Il a aussi la tâche de cultiver ce qu'il y a de meilleur en l'homme pour arriver lui aussi à la création de l'Homme. Mais ne courons pas trop vite au chrême du baptême pour en oindre de nouveau Saint-Exupéry, car c'est précisément sur cette notion d'Homme que nous différons. L'Homme de Saint-Exupéry connaît son plein épanouissement sur terre. Nous croyons que l'Homme vient de Dieu et y retourne. Saint-Exupéry veut créer l'Homme pour l'Homme ; nous voulons le créer pour instaurer le plan d'amour de Dieu, la parousie finale. En somme, l'activité est la même mais les buts sont différents. Pour Saint-Exupéry, l'Homme transcende l'homme ; pour nous, l'Homme transcende l'homme et Dieu transcende l'homme. C'est en approfondissant la vision de Teilhard de Chardin dans *Le phénomène humain* que peut-être nous trouverons ce que Saint-Exupéry n'a pu nous donner, c'est-à-dire une complète libération de l'homme dans l'au-delà.

VISION TEILHARDIENNE

Si on considère la position de Teilhard face à son existence, on s'aperçoit que sa démarche n'est pas tellement étrangère à celle de Saint-Exupéry et des écrivains contemporains. Par sa formation théologique et scientifique, il aura peut-être un point de départ extérieur à lui-même, le cosmos, pour ensuite s'interroger et découvrir les rapports possibles avec l'Univers de Dieu.

La grande préoccupation de Teilhard est d'essayer de concilier chez lui l'amour de la nature et l'amour de Dieu. À l'encontre de Saint-Exupéry, Teilhard est un chrétien qui sans cesse approfondit sa foi, mais qui n'a pas à se la poser comme point d'interrogation à l'exemple de certains auteurs qui ne l'ont pas encore trouvée. Teilhard connaît les mêmes problèmes existentiels que chacun d'entre nous, du fait qu'il sent le poids de la condition humaine. Il a à se situer face à la souffrance, face à la mort, face aux difficultés de l'amitié, de la rencontre, enfin face à ses limites. Il vit tous ces aspects de la condition humaine, non pas d'une façon individuelle et pessimiste, mais comme une nécessité de notre insertion dans l'histoire cosmique et comme apport à l'humanité. S'il est tenté d'individuation, il échappe à ce piège puisqu'il dit: « La meilleure voie pour s'unifier soi-même est encore de s'unir à ce qui nous dépasse. »[16]

Comme Saint-Exupéry cherchait toujours le sens des choses ou des actions, car il y découvrait une liberté par l'adhésion à ce sens, le même Teilhard ne dissocie pas expérience de la personne et expérience de la liberté puisque c'est elle qui donne un sens à l'action. Teilhard voit dans la mort, qu'il accepte, le seuil de la liberté.

Face au monde extérieur, Teilhard fait la genèse de la Matière. Il n'a pas la même attitude face au monde extérieur que ses contemporains. Sa grande interrogation est de déceler les rapports entre Dieu et l'Univers.

---

16. Barthelemy-Madaule, Madeleine, *La personne et le drame humain chez Teilhard de Chardin*, Éditions du Seuil, Paris, 1967, 330 p., p. 219.

Pour Teilhard, la dignité humaine remontre très loin dans l'histoire et c'est dans *Le phénomène humain* qu'on peut mieux voir le cheminement de sa pensée.

Depuis la formation de la Terre, une période de plusieurs millions d'années s'est écoulée pour permettre la formation de la biosphère et de l'être capable de recevoir l'esprit. Cette lente préparation se déroule en vue de l'homme. N'est-ce pas une dignité pour celui-ci que d'avoir été préparé de si longue main ? Teilhard situe l'homme par rapport aux autres êtres de l'univers comme une fin. Il arrive, le dernier-né des vivants, avec sa complicité et sa perfection. Il a une place spéciale parce que son existence explique tout le déroulement antérieur et donne une nouvelle orientation à l'Univers.

Comment se fait-il que l'homme se distingue tout à coup des autres animaux et acquière par ce fait une dignité absolue ? Cette suréminence « coïncide avec la naissance de la réflexion qui donne à l'homme la capacité de se replier sur lui-même par le moyen de sa conscience, de se connaître et de se rendre compte qu'il sait. »[17] À ce moment précis, l'homme se sépare complètement des autres animaux et sa vie devient si différente qu'on pourrait dire qu'il change d'état. Il est capable de penser la création, ce que les autres êtres ne peuvent pas faire car, pour eux, tout est déterminé tandis que l'homme assume la responsabilité de sa destinée. Il a conscience d'être une personne avec une valeur universelle et une dignité sans conteste. L'homme se sent capable d'absolu car il sent en lui des énergies nouvelles. Il conserve les instincts mais il peut les discipliner, les sublimer en sensations, en idées, en puissance de connaître et d'aimer. Il s'aperçoit, depuis qu'il est personne, qu'il a le privilège unique de se penser et de porter témoignage de lui-même, ce qui est tout à fait nouveau.

---

17. Pierre Teilhard de Chardin, *Le phénomène humain*, Éditions du Seuil, Paris, 1955, 347 p., p. 190.

Avec l'apparition de l'intelligence, l'homme tend à centrer autour de lui le reste du monde et, au fil des âges, il transmet quelque chose par l'éducation – « construction de matière ou construction de beauté, système de pensée ou système d'action » – qui permet un approfondissement et une augmentation de conscience. Ainsi, l'individu n'est plus un point isolé mais il contribue à l'avènement de l'humanité à travers les hommes. Cette différenciation de l'homme avec le reste des êtres « affecte la Vie elle-même dans sa totalité organique et par conséquent marque une transformation affectant l'état de la planète entière. »[18]

On pourrait se demander quel apport précieux cette transcendance communique à l'homme. Désormais, un courant de *noogénèse*, c'est-à-dire *enfantement d'abord, puis ultérieurement, tous les développements de l'esprit* va encercler la terre et va lui permettre de s'acheminer en même temps que l'humanité vers sa pleine réalisation.

L'homme étant l'aboutissement d'un effort total de la vie, il communique à son espèce *sa suréminente dignité et sa valeur axiale* en émergeant parmi les autres êtres. Ainsi, il peut, par sa nature, arriver à un épanouissement, ce que les autres êtres sont incapables de réaliser. La réalisation de cet épanouissement découlera de ce qui fait essentiellement sa grandeur : tendance à découvrir le vrai, aptitude et capacité d'invention, sens de l'observation, goût de la fantaisie, joie de créer. Bien plus, l'homme est libre et a même la possibilité de se critiquer et de critiquer ce qui lui est extérieur. Teilhard ne donne pas une définition livresque de la dignité humaine mais il suggère une méthode pour la découvrir : observer ce que l'homme a déjà donné par sa réflexion et ce qu'il annonce pour l'avenir.

18. *Ibid.*, p. 200.

L'homme n'a pas pu au début manifester toute sa puissance spirituelle parce qu'il était absorbé par les besoins matériels, telle la préoccupation de vivre, de se défendre, de se nourrir. Ces soins-là ne sont plus laissés au hasard, car l'homme ne doit plus se laisser vivre à la manière des animaux mais il doit vivre. Dès qu'il a pu se libérer, un tant soit peu, de ses préoccupations vitales, il a montré un peu ses possibilités par le goût de la beauté, de l'esthétique, par la façon dont il envisageait la mort. Les nombreux cas de sépulture attestent qu'il croit déjà à une immortalité. Si primitif soit-il, il laisse entrevoir, d'ores et déjà, toute la condition humaine.

La socialisation qui apparaît au Néolithique atteste la dignité de l'homme. C'est déjà la naissance de la civilisation qui se poursuivra indéfiniment. En regardant l'histoire, Teilhard parle de l'expansion des peuples, de la création d'institutions, de l'existence des empires, de cette capacité de liaison économique, de croyance religieuse. On s'aperçoit que la « formation d'une conscience toujours plus organisée de l'univers passe de main en main et son éclat grandit. »[19]

L'homme vu par Teilhard donne des signes de sa dignité humaine dès son apparition sur la terre, dignité qu'il a su exploiter à travers les siècles pour rendre la création de plus en plus intelligible, pour se situer toujours mieux par rapport au cosmos dont il se sent responsable. Dignité qui montre à l'homme sa responsabilité, non pas tant par rapport à lui-même que par rapport à l'ensemble des hommes.

En regardant le présent, l'auteur souligne des changements qui ont permis aux hommes de communiquer d'une façon facile, si bien que les frontières n'existent pratiquement plus. Un nouveau phénomène, l'éveil des masses, surgit aujourd'hui, ce qui permet d'apprécier le sens de l'homini-

---

19. *Ibid.*, p. 234.

sation et voir par là l'extension de l'Esprit dans notre monde moderne.

Pour Teilhard, ce qui fait notre dignité, ce n'est pas d'avoir découvert et maîtrisé d'autres forces de la nature mais « d'avoir pris conscience du mouvement qui nous entraîne. »[20] et par là, de nous être aperçus des redoutables problèmes posés par l'exercice réfléchi de l'effort humain. L'homme prend conscience aujourd'hui de sa dignité d'une façon particulière à notre époque. Il s'aperçoit non seulement qu'il n'est pas le centre de l'univers, mais qu'il est une flèche montante de la grande synthèse biologique, qu'il constitue, à lui seul, la plus compliquée, la plus nuancée des manifestations de la vie. Sachant que la tradition, l'instruction et l'éducation sont des formes d'expérimentations accessibles à l'intelligence, l'homme se rend compte qu'il peut transmettre quelque chose de lui-même, d'où sa responsabilité dans l'évolution du passé face à l'avenir. Quelle dignité que de s'apercevoir que quelque chose se développe dans l'univers par notre entremise ! Devant cette responsabilité de faire avancer l'Esprit de la terre, l'homme veut avoir la certitude que son action n'est pas inutile.

La grandeur de l'homme se manifeste par son désir d'aller jusqu'au bout de lui-même, de devenir de plus en plus homme. Cela dépend justement de sa conscience, qui est une grandeur irréversible parce que « tout accroissement de vision interne est essentiellement le germe d'une nouvelle vision incluant toutes les autres et portant encore plus loin. »[21] Cette opération implique un certain Absolu. La dignité humaine s'accrocherait à l'Esprit de la terre, qui veut que l'évolution se fasse en collaboration. De son côté, la science, qui est un produit de l'action de l'homme, évolue dans un sens qui se résume par ceci : « Savoir pour pouvoir, pouvoir pour agir plus, agir plus afin d'être plus. »[22] Comme c'est l'homme qui

---

20. *Ibid.*, p. 234.

21. *Ibid.*, p. 256.

a le privilège de penser le monde, il lui confère en même temps une forme d'unité.

L'homme croit trouver sa grandeur en contrôlant tout l'univers, en se rendant maître de l'Énergie de fond. Pour Teilhard, la dignité humaine n'a de sens qu'en se perdant dans du *démesuré*. Aujourd'hui, le monde fait un nouveau pas dans la genèse de l'Esprit : l'interpénétration des civilisations et le jaillissement des puissances inoccupées.

Un autre aspect de la dignité de l'homme, toujours selon Teilhard, c'est de posséder en lui quelque chose qu'il ne peut pas léguer au monde, parce que trop intime à lui-même et en même temps impérissable, et qu'il nomme la personnalité. Il serait selon sa condition qu'il puisse rejoindre un être dans lequel tout en se perdant il pourrait se retrouver. Ce point de convergence appelé Oméga pourrait synthétiser l'homme en même temps que l'Univers parce qu'étant le « Centre distinct rayonnant au cœur d'un système de centres. »[23] À l'homme revient la mission de faire converger l'univers et tout son peuplement vers ce point final.

Cet effort d'unification rejoint encore une caractéristique de la condition de l'homme, celle d'aimer. L'intensité de l'amour hâte l'évolution de l'Univers vers son unité. Cette façon d'envisager les choses atteste un désir de dépassement chez l'homme, qui se présente comme idéal. Quels que soient les échecs apparents, l'homme et l'univers sont intimement unis, marchant depuis longtemps et poursuivant sans relâche cette ascension jusqu'au jour où tout s'illuminera dans l'Amour.

Il ne faut pas laisser passer inaperçu le rapprochement que Teilhard fait du phénomène humain avec le phénomène chrétien. Tout en prétendant ne pas sortir des cadres de la science, il observe le fait de l'Incarnation, concrétisation et insertion de l'Oméga parmi les hommes. Pour lui, l'homme

22. *Ibid.*, p. 277.

23. *Ibid.*, p. 292.

trouve toute sa signification dans l'adhésion totale au Christ, sommet du mouvement qui nous emporte irrésistiblement.

Teilhard de Chardin a parlé tout au long du *Phénomène humain* de dignité humaine d'une façon globale. Il ne se borne pas à donner certaines énumérations de ce qui pourrait être la dignité humaine, mais il ne cesse quand même d'en parler. Pour ce faire, il ne s'est pas basé sur un exemplaire individuel, mais sur un exemplaire à dimension cosmique. Pour lui, l'homme se situe à un niveau supérieur par rapport à la création à cause de sa richesse intellectuelle et spirituelle. L'homme peut donc, selon l'auteur, percevoir les choses, les déchiffrer, les illuminer au moyen de sa conscience. Bien plus, l'homme se place au centre de l'Univers, le prend en main et essaie de le réaliser dans sa totalité ; vision grandiose d'une expérience réussie. Il a conscience qu'il est quelqu'un, qu'il tend vers Quelqu'un et qu'il a en même temps la responsabilité de construire l'avenir humain et cosmique.

Teilhard étant amoureux de la nature et de Dieu, il est donc normal qu'on décèle dans sa pensée une conception de dignité humaine qui s'insère sur deux plans : le monde matériel et le monde spirituel.

Saint-Exupéry nous a donné du monde une vision optimiste et emballante, car il veut construire l'humanité, œuvre gigantesque. Il essaie de prouver par sa vie ce qu'il avance en théorie. Son humanisme est certainement d'un grand secours pour ceux qui cherchent un sens à leur vie ; toutefois, le croyant demeure insatisfait. Il a quand même mis en évidence des valeurs humaines essentielles comme l'amour, l'amitié, la prière, la contemplation. Ces mêmes valeurs se retrouvent chez Teilhard, qui leur donne une dimension chrétienne. Pour Teilhard, l'homme compose avec Dieu, un Dieu auquel il n'a pas à faire mais qui appelle son adhésion dans l'œuvre à réaliser. Il est entendu qu'on retrouve chez lui la participation, l'engagement et le dépassement. La perspective de Saint-Exupéry laisse chez nous une certaine insécurité ; c'est beau faire l'humanité, créer un Dieu, mais c'est un cheminement de *pensée* qui n'est pas relié à une vérité transcendante car *trop humaine*. La pensée de Teilhard de Chardin a des assises qui correspondent davantage à notre besoin de certitude. Ce dernier répond pleinement à notre besoin d'éternité. Vivre pour se retrouver en un Dieu personnel et personnalisant comble nos attentes et suscite notre amour. Il a donc une vision eschatologique du monde qui échappe à Saint-Exupéry, quoique, par son spiritualisme édifiant, il a le mérite d'avoir proposé une solution au matérialisme et à l'inconscience du monde actuel.

À la suite de cette réflexion auprès de Saint-Exupéry et Teilhard de Chardin, je voudrais vous introduire au monde de Paul Claudel, un génie littéraire dont le cheminement a conforté ma quête de Dieu. Dans *L'Annonce faite à Marie,* Claudel, dans une dramaturgie où l'acte de foi surgit d'une grande souffrance, met sur les lèvres de Mara cette question à l'Acte III, scène 2 :

> *Que sais-tu de Lui qui est INVISIBLE et que rien ne manifeste ?*

Cette question de Mara m'a parfois habité comme un pas vers la lumière. En ouvrant une porte sur Claudel, je veux vous faire part de la complicité de son œuvre littéraire et de mon cheminement personnel. Avant de m'asseoir à mon « écritoire », c'est ainsi que je nomme ma table de travail, j'ai marché, j'ai réfléchi et j'ai peaufiné cette réflexion que j'intitule : *Claudel et l'Acadien que je suis.*

Il y a entre l'écrivain, le poète, le diplomate, ce géant de la littérature française et moi, une complicité de vie qui me secoue encore aujourd'hui. Je sais que le moi est haïssable, mais si j'ose vous parler de mon accostage de cette œuvre littéraire et de mon cheminement intérieur, c'est avant toute chose pour mieux faire saisir la trajectoire littéraire de Paul Claudel.

Paul Claudel est à la littérature française ce que Shakespeare est à la littérature anglaise, ce que Dostoïevski est à la littérature russe, ce que Goethe est à la littérature allemande et ce que Dante est à la littérature italienne. Son œuvre littéraire est faite de nombreux écrits, d'essais, de textes poétiques, d'œuvres théâtrales, de commentaires sur des textes de la Bible.

Les professeurs de littérature nous ont appris à chercher l'influence de la vie d'un écrivain sur son œuvre. Il serait bon aussi d'apprendre à chercher le contraire : trouver dans l'œuvre ce que sera sa vie. Dans la vie, nous ne sommes pas faits seulement par ce qui nous arrive. Il nous arrive surtout ce pourquoi nous étions faits pour vivre et selon la vision de Claudel du destin humain. Nous ne pouvons pas aborder Claudel sans penser à sa recherche de Dieu, qui fait de lui un croyant parfois dur et exigeant dans l'accord de son intelligence au mouvement de son cœur. Dans son œuvre, l'écrivain va interroger non seulement les créatures, mais Dieu lui-même, et écouter ses explications. C'est ainsi qu'il sera le poète cosmique, le poète de l'univers, le poète de la signification de tout. Son expérience littéraire entre dans la totalité de l'expérience humaine.

À 29 ans, je me dirigeais vers l'Université d'Ottawa afin de poursuivre des études littéraires pour ensuite intégrer l'équipe enseignante du Petit Séminaire Saint-Charles à Bathurst. J'y ai fait la rencontre d'un claudelien (c'est ainsi qu'on appelle les spécialistes des œuvres claudeliennes), monsieur Eugène Roberto. Ce professeur, avec son accent de la Provence, m'a ouvert à la grandeur de cet écrivain à la double vocation. Claudel se définissait ainsi dans une conférence en faisant un retour sur sa vie, alors qu'il avait 57 ans et 32 ans de carrière : « ma double vocation d'économiste et d'écrivain ». En effet, partout où Claudel sera consul et ambassadeur, que ce soit aux États-Unis, en Chine, au Japon, à Prague, à Dresden, à Hambourg, à Rome, au Brésil, à Copenhague ou à Bruxelles, son regard d'économiste sera celui d'un visionnaire compétent. Mais quant à moi, c'est l'écrivain qui m'intéresse.

Mon premier contact avec l'œuvre de Paul Claudel a été à l'Université du Sacré-Cœur de Bathurst alors que le Théâtre populaire du Québec jouait *L'Échange* et que Jean-Louis Roux, Gabriel Gascon et Françoise Faucher tenaient les rôles majeurs de l'œuvre. *L'Échange* est une œuvre du jeune Claudel écrite à New York et à Boston entre 1893 et 1894. Les premiers écrits de Claudel contiennent déjà le germe de tout ce qu'il écrira plus tard. À cette époque, Claudel fait ses gammes dans sa carrière littéraire et diplomatique. Et déjà, ce qu'il vivra découle de ce qu'il imagina. Car tout destin est d'abord un choix, le choix d'écrire pour mieux assumer son destin personnel. Il écrira 30 pièces de théâtre qui nourriront sa vie pour débroussailler une expérience humaine et chrétienne aussi tordue que les troncs des arbres de son village natal du département de l'Aisne, Villeneuve-sur-Fer-en-Tardenois, petit village de 300 habitants, où il a été baptisé le 8 septembre 1868. Il vivra une expérience littéraire aussi enracinée, déterminée et entêtée que les arbres géants de cette région de France. Le théâtre a surtout été pour Claudel le genre littéraire dans lequel s'est exprimé son génie, et cela au-delà de 40 ans jusqu'au moment où, avec le drame *Le Soulier de Satin*, suivant sa propre expression, il « a jeté le soulier à la mer ».

Le théâtre a été pour Claudel, l'expression d'un conflit intérieur où chacune des tendances en lutte les unes contre les autres s'est exprimée dans la voix d'un personnage. Ce drame claudelien que je goûtais dans mon adolescence et qui m'a ouvert aux problèmes de la vraie vie précède la pièce *Le Repos du septième jour*, une œuvre théâtrale qui sera le sujet d'une première thèse qui a pour titre : *Le Repos du 7e jour, sources et structures*. J'entrais à l'invitation de mon ami, monsieur Eugène Roberto, dans un monde qui va me fasciner et me conduire aussi à une période de questionnement quant à mon choix de vie comme prêtre. J'ai compris avec le temps que la quête de Claudel sera aussi la mienne. Ce n'est pas tout de reconnaître Dieu dans ma vie. Le plus difficile, c'est de consentir à cette présence dans une reddition intérieure. Car j'aurai à choisir en 1974, lors de la fermeture du Collège de Bathurst alors que j'ai dû vivre mon deuil comme ancien de cette institution, entre une carrière littéraire qui s'offrait et la pastorale dans les paroisses comme prêtre diocésain. Pendant que je scrutais le langage claudelien dans sa forme poétique, je me cherchais moi-même au cœur d'un choix qui est à refaire chaque matin et peu s'en faut que la partie soit gagnée à 71 ans. *Le Repos du septième jour*, qui m'a ouvert l'univers claudelien, a rarement été porté sur les planches sinon avec éclat à Fulda en Allemagne, en août 1954, au Katholikentag, genre de festival du théâtre à résonance catholique.

Dans ses écrits ayant pour titre *Mémoires improvisées*, Claudel nous permet d'entrer dans son monde et dans ses rêves. Dans son jeune désir d'adolescent de découvrir et d'explorer le monde de l'intérieur, Claudel confie à Jean Amrouche :

> *Je passais des journées entières à lire des récits de voyage en Chine et en Amérique du Sud, c'étaient deux pays qui avaient mes préférences et que j'ai retrouvés plus tard dans ma carrière diplomatique.*

Sa carrière diplomatique l'amène d'abord aux États-Unis, où il sera consul-suppléant à New York et gérant du Consulat de Boston à 25 ans. En 1895, il est nommé vice-consul en Chine. De 1895 à 1909, Claudel visite les villes chinoises Shanghai. Fou-Chéou, HanKéou, Pékin et Tien-tsin. Ces villes forment l'Empire du Milieu, la Chine permanente riche d'exotisme et de mythologie. Multiples départs, horizons nouveaux qui accentuent chez le poète la communion à un univers où s'enracine le drame de l'homme. En 1895, dans la forme poétique, Claude compose les *Vers d'exil* et les premiers poèmes de *Connaissance de l'est*. En janvier 1896, il commence la rédaction de *Le Repos du septième jour*, qu'il termine le 17 août 1896. Ce sont là des moments précis d'une œuvre au milieu d'un pays que le poète aime et qu'il brûle de mieux connaître. Dans ses *Mémoires improvisées*, Claudel se confie :

> *Autant que je me rappelle, c'était un drame d'étude, à la fois un moyen pour moi d'explorer ce que je commençais à comprendre de la Chine, et d'autre part un moyen de sonder, de me faire une idée sur certains problèmes théologiques qui se posaient également à mon esprit.*

Claudel est né dans un milieu catholique et austère. Ayant fréquenté à Paris le célèbre lycée Louis-le-Grand, il va connaître une période d'éloignement de sa foi. À 17 ans, il fait la découverte du poète Arthur Rimbaud et il rencontre chez lui la même incroyance que la sienne. Le 25 décembre 1886, à l'âge de dix-huit ans, devenu un garçon plein de génie et de révolte, bourré de questions essentielles, il se rend à Notre-Dame-de-Paris pour la messe et les vêpres.

> *C'est alors que se produisit l'événement qui domina toute ma vie. Je crus d'une telle force d'adhésion, d'un tel soulèvement de tout mon être, d'une conviction si puissante, d'une telle certitude ne laissant place à aucune espèce de doute, que depuis, tous les livres, tous les raisonnements, tous les hasards d'une vie agitée n'ont pu ébranler ma foi, ni à vrai dire la toucher. Contacts, 13*

C'est ainsi que le jour de Noël, Claudel vivra ce moment qui va bouleverser toute sa vie jusqu'à son dernier souffle au boulevard de Lannes à Paris, où il meurt le 25 février 1955. Après des funérailles nationales à Notre-Dame-de-Paris, où son cœur a connu « l'agenouillement et la reddition intérieure », il sera inhumé dans le cimetière de Brangues, lieu de ses derniers jours, de sa paisible retraite. Ce n'est qu'en 1890 qu'il se décide enfin à s'agenouiller pour célébrer les sacrements du pardon et la communion pour que son regard s'emplisse « de plus d'espace et ses poumons d'un air plus pur » comme le proclame un personnage de la pièce *La Ville*, écrite en 1890.

Au moment de l'écriture de *Le Repos du septième jour*, Claudel est engagé dans le mystère de Dieu comme je le serai toujours moi-même. Il sera un lecteur assidu de la Bible et des œuvres de saint Thomas d'Aquin dans leur version latine. Il lit aussi le fameux livre du père de Prémare, jésuite et ancien missionnaire en Chine, *Vestiges des principaux dogmes chrétiens* tirés des anciens livres chinois, publié en 1878. Claudel décide dans un drame chrétien *Le Repos du septième jour*, depuis la secousse personnelle de sa conversion, de convertir la Chine où il veut tout coordonner à l'action de Dieu et cela pour mieux convertir différentes couches de son être. Pendant ma scolarité à l'Université d'Ottawa, monsieur Roberto m'invita à faire la lecture de cette pièce théâtrale. Détenant un baccalauréat en théologie de l'Université Laval, il me persuada que j'étais comme l'envoyé, le candidat attendu qui permettra une avancée dans cette œuvre un peu rébarbative de Claudel. Pendant quatre ans, au Grand Séminaire de Rimouski, un havre de grâce dans ma vie, j'ai eu l'occasion d'être initié à ce monde biblique et théologique et voilà que j'étais appelé à en faire une autre lecture. Monsieur Roberto me proposa ce sujet de thèse et il s'offrit comme directeur de ce projet. Dans un élan de générosité, il ira jusqu'à présider le jury à l'occasion de la soutenance de thèse. Un précédent dans ce monde universitaire où le renouveau est plutôt rare.

Je me lançai à corps perdu dans cette recherche qui a été un véritable travail de moine, appuyé dans la rédaction par sœur Jeanne Bourdages, une femme d'une patience rare. Cette recherche m'a permis de renouer avec mes convictions personnelles et aussi de découvrir la richesse de ce monde chinois où tous les climats, les rites, les cérémonies et les mythes sont consacrés par l'histoire. Découvrir le plan chrétien a été possible. Mais la grande difficulté est apparue en voulant faire l'étude du plan chinois dans l'œuvre en question. J'ignorais tout de la Chine. C'est un ami, Charles-Yvon Leblanc, qui a été ma bouée de sauvetage. Étant détenteur d'un doctorat en sinologie de l'Université de Philadelphie, il m'a secondé dans ma recherche. Et ses connaissances de la civilisation chinoise lui ont permis de confirmer mes découvertes faites par intuition poétique, à la manière de Claudel. Ce travail a été reconnu par l'Université d'Ottawa et publié aux Éditions de l'Université d'Ottawa. Une deuxième thèse en vue du doctorat était à l'horizon. Victor Segalen, sinologue et poète moderniste, avait contesté *Le Repos du septième jour*. Il a voulu refaire en écrivant *Le Combat pour le sol*, avec son expertise et son génie poétique, une pièce de théâtre pour corriger l'obscurantisme de l'œuvre claudelienne, de ce marteau-pilon, de ce cyclone figé qu'était Claudel à ses yeux. *Le Combat pour le sol* n'étant pas publié, j'ai contacté la succession de Victor Segalen par le biais de l'attaché culturel à l'ambassade de France au Caire. La fille de monsieur Segalen, Monique Joly-Segalen, m'a fait parvenir sur microfilm le texte de *Le Combat pour le sol* en vue de mener une étude comparative de deux textes afin de réfuter les affirmations du poète Segalen versus l'œuvre de Claudel. J'ai laissé tomber ce projet en retournant à plein temps en paroisse à Robertville. Tout destin est d'abord un choix et, je le confirme, ce choix m'a permis de vivre une expérience au-delà des textes littéraires dans la vie des gens. Tout ce cheminement littéraire m'a amené à cette question que Claudel lui-même posait à l'humanité : *quelle est la situation de l'être humain dans la mouvance de l'univers ?*

L'œuvre de Claudel domine la littérature moderne comme un Himalaya. Malgré le caractère difficile du langage claudelien, son symbolisme compliqué, il y a au-delà de tout cela cette question qui est posée et une tentative de réponse dans le drame claudelien. Il y a là l'itinéraire d'un poète sublime qui est aussi le nôtre. Un poète sublime qui a la force de ce taureau glorieux mais aussi la blessure de ses personnages dans *Le Partage de midi*, *L'Annonce faite à Marie*, *Le Soulier de satin*, *Christophe Colomb*, sa *Jeanne d'Arc au bûcher* avec la musique de Honneger, *La lune à la recherche d'elle-même*, et j'en passe. Claudel, dans son œuvre, sera tour à tour sublime et terrible, génial et effrayant, grandiose et mesquin. Car pour lui, l'évidence de la foi devrait exister aussi pour les autres comme pour lui, ce qui n'est pas sûr.

Paul Claudel fait partie du courant littéraire qu'on nomme les humanistes chrétiens. Dans une littérature où le silence de Dieu faisait problème, il a voulu être les mots de Dieu et c'est pour cela que le poète s'était élancé à 24 ans sur les routes de l'univers. Après avoir tourné le dos à la vocation sacerdotale, il épousera mademoiselle Perrin et, de cette union, naîtront cinq enfants. Il a mis au service de la quête de Dieu toute l'intensité de l'amour et de la liberté.

Il y a autant de confusion dans ses personnages que nous en vivons nous-mêmes dans nos choix conscients et que lui-même vivait. Ses personnages sont invités à sortir d'eux-mêmes, à se briser et à briser l'univers, le cosmos dans l'éternel retour dans ce qui ne cesse point de passer.

Dans ce nouvel âge du monde qu'est le nôtre, Claudel, dans son œuvre littéraire, y était déjà entré. Il est allé puiser dans le passé des civilisations disparues et existantes pour écrire l'épopée des temps modernes. Comme Christophe Colomb, dans ses personnages sortis de son imaginaire, comme poète et écrivain, il s'est fait maître de l'avenir dans la conquête en renversant les barrières, les interdits, en secouant la torpeur des peuples. Tous les héros de Claudel sont possédés par le désir de l'Infini, rongés par une insatisfaction qui ne comblera sa foi qu'en Dieu seul. Dieu qui est le terme et la finalité de tout pour lui.

Une œuvre magistrale qui nous redit que la vraie victoire, ce sont les vaincus qui la remportent, que la vraie force peut être la richesse des faibles et que rien n'est jamais gagné pour qui a cru qu'on pouvait tout gagner dans la vie. Une œuvre où la foi d'un lutteur forcené des premières années s'accorde à Dieu dans une dépendance qui le grandit. Pour Claudel et pour moi, Dieu est la vraie mesure de l'être humain que je suis. À la suite de ce pèlerinage au cœur du monde claudelien, j'ai compris que croire, c'est adhérer en faisant à Dieu l'hommage de son intelligence. L'hommage et non le sacrifice, comme je l'ai cru parfois. Ses personnages m'ont permis de me construire en habitant ma culture dans une foi non pas facile mais qui confirme qu'il n'y a pas d'opposition entre Dieu et le monde, l'art, la beauté et la joie de vivre.

Après ces détours auprès des écrivains que j'ai côtoyés comme des frères, je vous apporte la réponse de ma foi dans cette recherche.

Tous ces écrivains m'ont amené à vivre mon option chrétienne non pas comme un savoir mais comme une manière d'être au monde aujourd'hui. Tout ce cheminement m'a obligé à redécouvrir les données les plus profondes du christianisme, qui sont les plus en accord avec le devenir actuel de l'être humain que je suis. Loin de devoir me décourager, le passage de notre monde à une réalité globale dans une société universelle m'offre l'occasion unique de faire le choix possible de mon propre destin, indépendamment des impératifs de la tradition, et cela à l'intérieur de l'Église.

Le christianisme est dans son essence communautaire et se traduit dans une communauté vivante et visible qu'est l'Église-institution. Cette Église est aussi le lieu où se rencontrent Dieu et l'homme pleinement engagé dans le monde d'aujourd'hui, majeur, sans religion, sans métaphysique et souvent sans intériorité. Toute sa profanité, c'est-à-dire tout son être, est à la charge de l'Église qui nécessairement connaît le refus, l'exil, et qui doit l'accepter. L'Église n'est pas un lieu contre la perversité du monde. L'Église ne doit pas lutter pour se conserver mais pour se soumettre au service de l'humanité. L'Église n'a pas à prêcher une religion afin de ménager une place pour Dieu. Elle ne doit pas non plus assurer un monde à deux étages ni boucher les trous de l'expérience et de la recherche scientifique. L'Église doit faire comprendre que rien ne peut être plus nocif à l'homme actuel que de soupçonner que sa foi est ce que l'anxiété personnelle ou collective place dans le vide de l'expérience humaine pour chasser la peur. Le temps où la foi nous venait du milieu familial et du milieu social est définitivement révolu. Ce changement culturel et sociologique est pour le croyant l'occasion de redécouvrir que sa foi est animée d'un dynamisme intérieur qui lui permet de prendre racine et de se développer en des contextes différents. Bien souvent, nous appelons « foi » tout un ensemble de sentiments, d'attitudes et de comportements qui tiennent autant, sinon plus, à des conditionnements et à des éléments qu'à la foi elle-même, comprise au sens évangélique du mot. Quelle est donc cette foi évangélique ?

La foi est d'abord une relation entre une personne qui appelle, qui invite, et une personne qui accueille, qui répond à cet appel. C'est la réponse d'un être humain libre et entièrement responsable de son destin terrestre au Dieu qui lui offre son amour et qui le veut responsable et libre. Cela signifie, en premier lieu, qu'en parlant de foi évangélique, nous ne parlons pas de choses mais de personnes. Dans la vie de tous les jours, l'envahissement du monde des choses peut nous faire perdre de vue le monde des personnes. De même en est-il souvent de la foi : à vivre dans un monde de choses à croire, à faire et à avoir, nous risquons beaucoup de perdre de vue l'essentiel, qui est la relation interpersonnelle avec Dieu.

En évitant d'exclure les autres cheminements de foi, quant à moi, c'est au cœur de l'Église qu'est perçu cet appel, cette invitation que Dieu adresse à tous dans le Christ, cet appel à accueillir l'espérance commune qui les rassemble dans l'unité de l'amour. L'Église est ainsi issue de l'Évangile et formée par l'Évangile.

Quand on dit église, on dit aussi le lieu du culte où la liturgie est l'action-du-peuple de Dieu que nous sommes ou que nous voulons être. La foi s'exprime dans le culte. La situation du croyant qui refuse le culte est difficile à évaluer. La foi doit se célébrer pour qu'il y ait mûrissement. Il faut que la foi, par son propre mouvement, invente des symboles qui lui soient bien ajustés. D'où l'urgence d'intégrer, dans les célébrations liturgiques, la culture du lieu qui exprime l'identité des croyants pour mieux vivre cette expression sacrée de sa démarche. Dans cette démarche d'intégration de notre culture à la liturgie, je voudrais souligner l'apport du mouvement ALPEC (Animation et Liturgie par l'Expression et la Communication). Au cœur de l'Église du Canada français, le père Armand Chouinard, eudiste, et différents animateurs ont permis la création de chants et de gestuelles liturgiques portant la richesse de notre culture. Ici, par le biais d'ALPEC-MARITIMES, j'ai participé à cet effort intelligent et concerté afin de donner à nos liturgies les accents de notre culture. Il est pertinent de l'affirmer dans un temps où la désaffection de la pratique religieuse nous pousse à remettre en question la signification de nos liturgies, comme l'action-du-peuple.

Voici la chose plus excitante qui soit, faire de l'Église, comme collectivité, le témoin d'une espérance qui ne soit pas illusoire, mais enracinée dans l'action actuelle des hommes. À notre époque, plutôt que d'attendre un retour au passé ou de s'accrocher à des structures d'un autre âge, le croyant a le devoir de trouver une espérance pour ce monde-ci. Il doit comprendre qu'une doctrine chrétienne ne peut être viable que si elle nous rend responsable de notre histoire.

Au cœur de cette aventure littéraire, j'ai eu le courage à mon tour, comme les personnages de plusieurs romans, de certaines dramaturgies, de partir de ce qui agit vraiment dans ma vie. Connaître Dieu par la foi, ce n'est pas d'abord savoir un certain nombre de vérités à son sujet. Connaître Dieu par la foi, c'est véritablement le rencontrer comme personne, c'est se convertir et se lier à lui comme à une personne ; c'est mettre sa foi en lui, s'engager en lui, pour ensuite approfondir et étendre davantage la connaissance qu'on peut avoir de sa personne, de son amour, de son œuvre. Il est urgent de découvrir ce sens évangélique de la foi afin qu'elle puisse être vécue comme une véritable rencontre, comme une authentique relation, une vraie communion.

Il est normal qu'à l'intérieur de cette foi s'écroule une certaine foi historique : l'idée métaphysique de Dieu, les notions anthropomorphiques du Tout-Puissant, sorte de grand-père céleste, la vénération superstitieuse de la Bible comme d'un livre d'oracles reproduits littéralement, la vieille cosmologie à trois étages, les idées antiques de l'enfer. Tout cela peut disparaître nettement des « chambres de débarras » mentales des croyants. Je refuse de déclarer comme déclin authentique de la foi chrétienne aujourd'hui ce qui est un désir de sincérité envers Dieu et envers soi-même.

Notre début de siècle manifeste encore une fidélité à l'homme et au monde qu'il habite. La passion de la raison et la passion de la liberté sont évidentes. Cela est grand. Le croyant que je suis essaie d'y trouver un rappel des valeurs déjà contenues dans l'Évangile, mais parfois un peu oubliées ou insuffisamment assimilées. L'effort de l'homme contemporain accorde vraiment ses chances au divin. Par des chemins détournés, des expériences de négation, une volonté de sincérité, de vérité et de dépouillement, on délaisse les discussions superficielles pour accéder au mystère des options fondamentales. C'est que la conscience contemporaine s'ouvre au mystère de Dieu. Du vrai Dieu ? Voilà la question. Dans cette mixité spirituelle, comment rejoindre le Dieu de la Bible qui a partie liée avec notre histoire ?

J'ai beaucoup gagné à la fréquentation fraternelle de ces penseurs pour comprendre et aménager l'humain. Le chrétien d'après-concile que je suis doit accepter la critique ou il est disqualifié. C'est pour avoir voulu épargner trop de choses que certains chrétiens se sont souvent coupés du contexte existentiel. Souvent, la motivation profonde de certains agissements chrétiens a été la peur : peur de tout, peur de voir les valeurs d'un monde passer avec ce monde, peur de l'homme au point de ne plus faire confiance à quiconque et de ne plus vouloir risquer quoi que ce soit avec qui ce soit ; peur de soi au point de ne plus savoir que nous avons à inventer notre chemin et non à suivre, tel un automate, une destinée préétablie comme par un horoscope. Peur de Dieu dont l'image a rassemblé peu à peu les traits de toutes les formes d'oppression. Cette peur est le signe des faiblesses d'une foi qui n'a pas de racines. Le croyant est ramené, grâce à cette confrontation, aux cris du désespoir de l'homme dans sa quête de vivre, de construire et de lutter non en comptant seulement sur lui-même, mais aussi sur Dieu, qui est sécurité absolue et recherche continuelle.

Au sein de cette pensée contemporaine, j'ai compris que je suis dans un univers en évolution, dans une histoire et dans le temps qui m'invitent à la communion avec moi-même, avec les autres et avec Dieu. Je suis persuadé que l'expérience humaine est le seul accès à la réalité du salut. Jésus Christ apparaît au sein de l'histoire et donne un sens nouveau à l'histoire et à mon expérience humaine. C'est dans et par une histoire de salut que je suis pleinement présent à moi-même dans une communion avec le Dieu vivant. De 1604 à nos jours, j'ai la profonde conviction que l'histoire du peuple acadien s'inscrit dans cette histoire de salut.

J'ai compris que je partage avec tous ces penseurs une condition humaine blessée et, par le fait même, le tragique humain. Comme eux, je désire vivre heureux jusqu'au bout de l'évidence de la foi. La foi est un acte totalisant par lequel ma conscience peut entreprendre d'exister. Je deviens responsable de mes diverses attitudes à partir d'un « oui » qui permet à la pensée divine d'entrer en moi. Prendre conscience de sa propre existence ne doit pas conduire à une contradiction entre l'homme et Dieu, comme l'affirme Jean-Paul Sartre dans *Le Diable et le bon Dieu*. Au contraire, je pense que c'est l'appel de Dieu adressé à l'homme qui le fait libre et donc pleinement homme. Ce soupçon non fondé vis-à-vis de l'engagement dans la foi comme aliénation de l'homme et négation de sa liberté est un obstacle qui détourne de Dieu l'homme vivant dans un monde d'autant plus assoiffé de liberté qu'il la respecte si peu. Voilà un défi à relever dans une liberté et une foi engagées.

J'ai trouvé une réflexion éclairante dans un article du dominicain Bernard Bro, où il tente de faire ressortir, dans un procès de l'homme, un ferment de valeurs pour le croyant que je suis. Cet article est intitulé *Valeur de la détresse*. Après avoir cité en exergue cette tirade bien connue d'un personnage sartrien, « La vie commence de l'autre côté du désespoir », le père Bro écrit :

> Je pense que bien avant que l'existentialisme et les recherches des sociologues nous aient habitués à un tableau désespéré de la condition humaine, nous avons appris que la condition humaine est instable. Les grands bouleversements économiques et leurs philosophes, les révolutions de leurs prophètes avaient déjà attiré l'attention sur la notion de la condition humaine, qui est condition blessée. Il y a dans cette proposition, la reconnaissance d'une valeur, la valeur de la détresse, de l'angoisse existentielle. Grâce à quoi, un peu de la vraie piété évangélique est passée dans le regard des hommes, dans la philosophie au sens où la philosophie est le lot commun, la façon qu'a l'homme de se voir et de voir les choses. Ceci devrait normalement nous préparer à mieux comprendre la grandeur, la vérité du remède que nous offre l'amour de Dieu.
>
> En fait, il faut bien le constater, ceux qui sont les plus sensibles à l'angoisse de l'homme sont aussi, bien souvent, ceux qui paraissent sourds à la réponse divine. Ce que notre siècle a peut-être de plus précieux à offrir à l'intervention de Dieu, à son don, c'est que l'humanité d'aujourd'hui se vit dans les profondeurs de l'inquiétude à tel point que la présentation d'une vérité même évidente ne lui suffit plus… La vérité doit être le fruit d'une expérience religieuse qui va jusqu'au bout d'elle-même.

Un personnage d'Ernest Hemingway, à qui l'on demandait s'il croyait en Dieu, répondait après un long silence : « Oui, parfois la nuit… »

Sa réponse nous dit sans doute plus qu'il ne le pensait. Il faut accepter la nuit d'une certaine retraite pour trouver Dieu. Il faut accepter dans un cheminement de la foi le retrait de ce qui nous éblouit et nous entretient dans l'illusion. Il nous faut découvrir que, malgré sa merveilleuse lumière, seul le soleil vaincu peut livrer les étoiles. Ce personnage, c'est beaucoup de moi et peut-être de vous qui me lisez.

Dans ce vide métaphysique, je suis appelé à vivre mon option chrétienne. En Occident, nous sommes riches de beaucoup de choses, mais fous de rien. Depuis 17 siècles, c'est la première fois que l'Europe construit son identité et son avenir sans l'Église. Nous sommes dans un Occident où la laïcité tient lieu de religion, où les écoles et les universités forment la jeunesse, où l'art sous toutes ses formes chante l'homme et sa création, non plus le créateur. Un monde occidental sans références chrétiennes va-t-il connaître un avenir prometteur ? Un avenir sans aucun doute, mais rempli de beaucoup de souffrance et de désespoir, un avenir auquel je voudrais participer dans mes choix de croyant aujourd'hui afin de le rendre plus heureux.

À l'invitation de Vatican II, j'ai voulu à ma façon scruter et interpréter les « signes des temps » à la lumière de l'Évangile afin de nourrir en moi d'abord un souffle d'évangélisation. J'ai voulu vivre ma foi dans une situation du monde d'aujourd'hui : situation de sécularisation, situation de pluralisme religieux où des choix plus personnels sont à faire. Dans mes engagements, j'ai tenté de connaître et de comprendre le monde dans lequel je vis afin de prendre corps avec la réalité humaine contemporaine. C'est alors que j'ai compris qu'être chrétien aujourd'hui ne va pas de soi, sans doute cela ne l'a jamais été, car les affirmations et la vie chrétiennes ont toujours été dans l'ordre de la provocation, du scandale et même de la folie, comme l'écrit l'apôtre Paul dans sa première lettre au Corinthiens 1, v. 23. Il me semble qu'hier la religion pouvait s'imposer d'une certaine façon aux hommes et aux femmes, avec la même évidence que le monde qu'ils percevaient, tandis qu'aujourd'hui, tout en étant différent et se sentant souvent en exil, le croyant affirme malgré tout que la foi a toujours sa chance et que l'Évangile contient une formidable puissance d'interpellation et de vie. Face à cette nouveauté culturelle et sociale, j'ai opté pour continuer ce beau risque de nommer le Dieu de Jésus Christ et de reformuler ma foi en fonction d'exigences nouvelles.

J'ai eu d'abord à assumer dans ma quête de Dieu, la reconnaissance des déplacements, des passages à vivre. D'une Église immobile, principalement organisationnelle, reposant massivement sur un clergé nombreux, d'une Église centralisée et puissante, et selon la belle réflexion de Jacques Grand'Maison, une Église qui se vivait dans le béton et qui est appelée à vivre sous la tente, j'ai tenté de me vivre dans une Église en mouvement, surgissant et se construisant au gré des événements, une Église diversifiée et décentralisée, servante et pauvre. Face aux grandes interpellations de notre temps et à partir des nombreux déplacements qui se sont faits et qui se font encore, il m'a fallu remonter aux sources les plus authentiques. Ces sources doivent servir de référence première et dernière pour vivre mon option chrétienne à l'instant : la Parole de Dieu. Si les chrétiens du passé ont été inventifs pour exprimer leur foi, je dois revenir à cette tradition vivante pour exprimer ma foi au Christ, pour vivre une même espérance, une même charité. En me laissant guider et éclairer par cet effort vingt fois séculaire de la pensée chrétienne, je prends le risque de dire et de célébrer en l'Église un Dieu qui est, qui était et qui vient dans tous ces déplacements qui font l'histoire. J'ai retenu, de mon peuple qui est revenu d'exil et de la persécution plus fort et plus déterminé, l'audace et la ténacité afin de vivre mon option chrétienne. Une manière d'être au monde en vivant l'héritage reçu de mes ancêtres. L'histoire de mon peuple m'a enseigné que les plus grands risques sont souvent les plus grandes chances. En relisant l'histoire de l'Acadie, qui est une partie de l'histoire humaine, je me dis que tout ce qui arrive, tout ce qui se produit, se présente en définitive comme un défi à relever. Le passé du peuple acadien me permet de vivre mon option chrétienne aujourd'hui, dans la passion d'un cœur ouvert.

Une manière d'être au monde

• grisaille
• mort et vie

La mort est-elle un lieu d'accompagnement
une vaste plaine déserte où l'être,
enfin seul avec son illustre abandon
peut errer sans relâche, sans âme qui vive
à l'horizon, reclus en soi, et pour toujours ?

SERGE PATRICE THIBODEAU, *Lamento*, extrait.

Il y a une étoile dans le ciel pour chacun de nous,
Assez éloignée pour que nos erreurs ne viennent
Jamais les ternir.

CHRISTIAN BOBIN

Sous la façade d'un être de paix, je suis sous l'effet constant d'un séisme intérieur. La conjonction de ces deux éléments caractériels donne une grande intensité à tous mes gestes comme à mes paroles. Un sentiment d'extrême fragilité m'habite et nourrit en moi une attitude de non-jugement.

Dans la continuité de ma vie, j'ai vécu des choses tristes et gaies, j'ai franchi des étapes avec la joie de l'enfant qui sautille de roche en roche pour traverser la rivière. C'est ainsi que, sans présomption aucune, j'ai acquis de l'expérience et une certaine sagesse.

Chaque vie a ses heures grises. Au retour de mes études à l'Université d'Ottawa, tout autour de moi avait changé. Et voilà que je dois refaire à travers un cheminement pénible le oui à mon célibat et à mon engagement sacerdotal. L'angoisse s'installe en moi comme une visiteuse indésirable. Que faire ?

Pendant cette période de désert, j'ai eu le privilège de vivre une expérience d'équipe avec mes six confrères ; une autre façon de combler ce besoin de vivre en communauté. J'ai pu ouvrir le « presto » avant de tout faire sauter. Ces anges gardiens du Petit Séminaire Saint-Charles, sans le savoir, m'ont accompagné dans ce moment de ma vie où, dans un abat, toutes les quilles sont tombées. Les paradoxes sont nombreux dans nos vies et se vivent dans le réel de l'existence. En ce temps-là, je vivais un paradoxe, et cela dans la simultanéité de mes engagements : la mission de travailler à la relève des vocations sacerdotales au Petit Séminaire Saint-Charles pendant que je devais donner une nouvelle vigueur à mon « oui » personnel à Dieu. Mes confrères et aussi les jeunes de ce milieu m'ont permis de vivre l'accueil de la souffrance comme une terre asséchée en attente d'une ondée. J'ai compris qu'il y a un revers à l'étoffe de la douleur qui est la joie comme le fruit d'un grand combat. Georges Bernanos, dans cette perception, donnera le titre *La Joie* à un ouvrage sur la souffrance. J'ai appris quelque chose de cette grisaille. Il fallait la vivre pour croire à l'éclatement du grain de blé.

Des textes rédigés en 1965, où je vivais dans le creux de la vague, peuvent vous laisser goûter à ce temps gris de ma vie. J'ai gardé le souvenir ému du docteur Joffre Daigle, mon médecin traitant, mais surtout un homme de cœur et de foi profonde qui nous quittait dans la quarantaine. Il a su me redonner confiance en la vie pour mieux repartir, car à tout moment « tout homme peut commencer un nouvel avenir » (Roger Garaudy). Je retrouve dans un vieux cartable des noms d'amis qui ont été proches de moi : docteur Guy Jeanty et sa belle Jacqueline, Marcial, Léa et Rhéal Bérubé.

L'écriture a été ma bouée de sauvetage. Je vous livre ces textes. Si vous n'en saisissez pas le sens, c'est tout à fait normal car moi-même, en ce temps-là, je ne comprenais pas.

Des êtres, un couloir et le chemin qui mène au large
Je marche dans le sillage du dégoût seul à seul
Pèsent les feuilles mortes et les souvenirs
Je veille à la vie qui est moins seule avec ceux que j'aime

Un matin, au réveil, l'espérance est soudainement si forte qu'elle peut m'apporter le calme, la détente. Un peu comme Péguy, je veux la vivre car je la vois sur les visages que je rencontre et très peu en moi-même. Pourtant, hier, j'étais de ceux-là. Mais même si le soir descend dans ma vie, c'est déjà l'annonce d'une lumière bienfaisante. Je me sens tellement libéré. L'angoisse n'existe plus. Est-ce une illusion ? La vie est tellement belle que celui qui la refuse commet son propre suicide. Afin d'aller plus loin, j'empruntais à Guillaumet, perdu dans la Cordillère des Andes, ce slogan vital : « Ce qui sauve, c'est de faire un pas. Encore un pas. C'est toujours le même pas que l'on recommence. »

Une chambre
Les murs sont silencieux
Comme un condamné qui attend sa sentence
Il y a de la place pour du soleil
Un soleil que l'on découvre dans son cœur
Dans une chambre.

Il m'a fallu prendre à bras-le-corps cette crise existentielle qui devait changer ma vie. Dans un pèlerinage à rebours, je suis retourné au monde de mon enfance. Depuis le souvenir le plus vivant de mon enfance, j'étais comme le limaçon le long du ruisseau, qui, de méandre en méandre, creuse tranquillement son chemin dans une glaise noire. Les arrêts sont nombreux. Les digues aussi sont autant de refoulements causés par des événements que j'ignore et qui peuplent le monde de mes songes.

Pourtant, je l'aime ce passé que des heures ont parsemé de joies et que parfois la tristesse a teinté de merveilles.

Je marche dans cette cohue, à travers les hommes comme l'aveugle dans la plaine écrasée par les vents et les pluies du temps. Mon regard pourrait égayer tant de vies. Je me penche sur ma vie et je vois les jours des folles bêtises enrichies de ce que j'ai refusé par peur au mendiant de l'amour.

Dans le silence d'une nuit d'été, assis devant la maison, tout en contemplant le coucher du soleil qui a brûlé mes jeunes chairs, je rêve du passé insatisfait. Un coucher de soleil, c'est le rappel d'une fin, la fin d'une journée et aussi de tant d'aventures.

Les eaux dorment car la nuit vient
Je voudrais aussi dormir à tant de choses
Je suis seul rêvant de promenades longeant la mer
Regardant les algues, les herbes marines
Je suis seul dans un monde où il y a tant de foules
Ce désir de communiquer m'habite
Je cherche quelqu'un
Dans cette solitude, si les souvenirs échangeaient entre eux
La douceur de leur présence, je rirais d'aise.

Il est facile de rire de ses bêtises quand le cœur se ferme aux sombres folies de jeunesse. À ce moment de ma vie, après un long mûrissement, j'ai décidé de m'embarquer, conscient, dans la solidité de mon être retrouvé où il y avait de l'espace pour l'amour, l'affection, la tendresse comme des moyens par où Dieu passe. J'ai eu à assumer pleinement ma fragilité, ma beauté et ma liberté. Trois ingrédients d'une recette pour vivre et non survivre, et sortir de cette angoisse. Une fragilité qui m'a ramené à la source de mon être en ouvrant un espace à l'autre qui me dit son besoin de moi, me sortant ainsi de mon isolement. Nous tentons tous d'échapper à nos fragilités qui nous éveillent au besoin de la force de vivre. Une fragilité qui nous éveille à son tour à ce que j'appelle l'audace de la fragilité, car fragilité n'est pas synonyme de faiblesse. En assumant mes fragilités avec réalisme et sans complaisance, j'ai découvert ma beauté qui n'était pas loin, cette beauté qui a toujours nourri en moi la joie d'admirer, d'occuper mon espace, d'écouter, de respirer et de me rendre pleinement présent. Cette expérience m'a ouvert à un plus grand que moi, à Dieu, dans une grande expérience de liberté. Cette expérience qui m'a dit « Va vers toi-même » pour mieux aller vers les autres.

De cette saison en enfer, au cœur d'une révolution intérieure, j'ai remonté peu à peu en accueillant les besoins d'aimer qui m'habitaient, sinon ma vie aurait toujours des odeurs de cassure inavouée. J'ai dépassé cette crainte de me connaître ; souvent, cette crainte me faisait longer un mur que les événements de ma vie frôlaient timidement. J'ai appris par choix que l'homme ne peut trouver en lui-même seulement la joie de cette quiétude que Dieu sait donner. Dieu lui-même nous fixe un rendez-vous. L'expérience de la vie m'a montré que souvent, c'est par des chemins que je ne choisis pas que Dieu me révèle à moi-même pour que je sois ouvert à ses visitations. C'est alors que j'ai ouvert la Bible au livre de Job pour reconnaître que l'angoisse, une forme de violence déguisée, faisait écho fidèlement au cri lancé par un personnage du Ve siècle avant le Christ. Job, un de ceux qui ont frôlé l'absolu de la détresse par la conscience de leur condition, crie tout son saoul, sa misère au Dieu qui, apparemment se tait... Mais Dieu envisage et entreprend plutôt de creuser en Job une attitude plus exacte à son égard : celle de la pauvreté spirituelle. Amener Job à se taire devant ceux qui l'invitent à la révolte, à laisser discuter autour de lui, à faire confiance, que Dieu au-delà de tout demeure le Dieu de l'amitié et de la fidélité. Job sait rejoindre Dieu dans la foi et non dans le refus. Lentement, mais sûrement, j'ai senti monter en moi la crue des eaux vers les pâturages de ma vie où ma personne, comme une brindille d'herbe, a pu dans son balancement léger dire sa satisfaction d'être arrosée et d'être envahie de tendresse. Après ces soirs de grisaille, j'ai vécu de beaux matins de lumière et des marées de joies abondantes. Ce qui m'a permis de faire le choix de redire « oui » à l'appel de Dieu jusqu'à aujourd'hui. J'ai accepté de célébrer la vie à partir de moi-même et d'atteindre en moi ce qui fait la joie de Dieu.

Gavé d'espérance, j'ai mis au service de ma quête de Dieu l'amour dont j'avais tant soif et cela, un matin de grand soleil. Assis près de la mer, à la Dune sur une pointe de terre qui jadis appartenait à mon grand-père maternel, James McLaughlin, j'ai regardé les pêcheurs quitter le quai pour le large, ces pêcheurs dont l'ardeur du métier a inspiré ma vie. J'ai accueilli pour la première fois ce don de la parole de mes ascendants les McLaughlin. J'ai hérité d'eux le souffle de la parole sûre, convaincante et entraînante. Quel cadeau à gérer !

J'ai regardé la mer. Un regard vers la mer, rien de plus banal et pourtant rien de plus mystérieux. La profondeur de la mer, c'est un peu la profondeur de mon être qui traîne dans ces bas-fonds ce que je suis… Quelle fidélité que celle de la mer ! Elle est proche et discrète comme un ami, une amie. Rien n'est plus disponible que l'eau. La mer me rappelle un poème de Saint-Denys Garneau que j'ai scruté un jour avec mes élèves, le très beau poème *Accompagnement*, écrit en 1936. Dans ce très beau poème, le jeu d'un échange se vit.

Je marche à côté d'une joie
J'entends mon pas en joie qui marche à côté de moi.

Je marche à côté de la mer et elle est aujourd'hui la compagne de mes vacances dans un échange aussi fort que l'amour. Et dans la nuit qui vient, les lumières plongent dans la mer où les univers du ciel et de la terre se confondent dans une traînée de feu tout en couleur. Les lumières du paysage se mêlent aux clignotants des balises du chenal et donnent un air de fête à la nuit. Je regarde et j'habite cette féerie lumineuse et je la porte en moi comme un bel héritage. Cet héritage qui est au dedans de moi comme au dehors de moi, cet héritage de sable, d'eau salée, de varechs et de vagues tenaces comme la vie. Comme Don Rodrigue dans *Le Soulier de satin* de Paul Claudel, en regardant la mer allumée et le ciel étoilé, je m'écrie :

> *Je n'ai jamais vu quelque chose de si magnifique. On dirait que le ciel m'apparaît pour la première fois.*
> *Oui, c'est une belle nuit pour moi que celle-ci où je célèbre enfin mes fiançailles avec la liberté.*

Une œuvre claudelienne qui rejoint le chemin de mon cœur qu'il faut *aulner* non pas d'un seul coup mais à petits pas, avec une patience attentive à tout ce qui m'entoure. L'écriture de Claudel trace dans des mots deux chemins dans ma vie. Un chemin qui tire directement vers la mer, qui est celui des appels de Dieu et l'autre « entre les genêts tournoyant et montant parmi les roches parsemées » qui est le chemin du refus et des fermetures du cœur.

Une prière qui achève cette journée :

> *Seigneur, je ne peux écrire su papier ce que mon cœur attend !*
> *Je n'ai qu'à respirer pour me remplir de toi.*

Musique à écouter : Adagietto de la 5e *Symphonie* de Malher, *Stabat Mater* de Pergolesi.

Une réflexion sur la vie porte toujours en elle une réflexion sur la mort. Vivre, c'est toujours prendre congé de quelque chose, de quelqu'un. Nous pouvons devancer la mort en la regardant comme si elle était derrière nous pour apprivoiser la tâche de mourir qu'il nous est toujours difficile d'accepter. Tout dans la vie nous conduit à ce moment de la dépossession ultime qu'est la mort, la compagne intime de la vie.

Mes homélies dans ce temps de la mort à vivre ont voulu, au-delà du poids du silence, être des paroles de passage et d'accompagnement. Dans cette réalité d'un deuil qui est souvent le moment le plus vrai de la vie, dans cet espace, j'ai toujours voulu ouvrir un chemin à l'espérance, parfois avec une foi audacieuse et souvent avec une foi timide. La parole non pas comme un espace clos mais comme une espérance respirant comme la vie qui ne meurt pas, comme une entrée dans l'éternel.

Mourir, c'est remonter à la source. Celui qui meurt retourne au jour de sa naissance. Mourir, c'est le plus grand geste de liberté qui soit. C'est le moment épanoui et heureux où dans l'extrême moment de ma vie, tout impose le silence. Je voudrais vivre ma mort comme un privilège où s'exprime la résurrection, la joie d'une vie transfigurée.

Pendant mes études littéraires à l'Université d'Ottawa, en scrutant le texte des *Pensées* de Blaise Pascal, homme de sciences et chercheur de Dieu, je me souviens d'avoir lu ce texte qui me ramène aujourd'hui à cette réalité de la mort :

> *Le dernier acte est sanglant quelque belle que soit la comédie en tout le reste. On jette enfin de la terre sur la tête et en voilà pour jamais.*

Dans cette comédie humaine de la vie, j'ai voulu dans le dernier acte apprivoiser ce moment pour ne pas rater ma sortie de ce monde et aller plus loin que cette réflexion pascalienne dans une démarche de foi personnelle.

À la manière du romancier Milan Kundera, dans *L'insoutenable légèreté de l'être*, la mort avant tout est une question à laquelle il n'est pas de réponse :

> *Ce sont précisément les questions auxquelles il n'est pas de réponse qui marquent les limites des possibilités humaines et qui tracent les frontières de notre existence.*

Aux frontières de notre existence, il y a la mort à vivre. Ma foi qui rend Dieu sensible à mon cœur m'apporte une réponse que je propose avec une grande pauvreté.

Je vous laisse entre combien d'homélies, ces lignes dites à l'occasion de décès d'amis qui m'ont aidé à comprendre un peu plus que le mystère de la vie et de la mort, c'est une seule et même chose, comme le sont la mer et l'océan.

D'abord, une réflexion jetée un peu pêle-mêle sur papier, comme a été la belle amitié d'Achille Maillet pour moi.

Achille est un confrère, un ami, un missionnaire qui portait dans son cœur l'Afrique comme on porte dans son cœur un amour non comblé.

Le jeune missionnaire qui avait quitté notre pays dans l'enthousiasme de sa vocation, reviendra de l'Afrique où il a donné le meilleur de lui-même : sa santé et beaucoup de sa vie.

> *Il n'y a pas de plus grand amour que de donner sa vie pour ceux qu'on aime*

Cette parole de Jésus, il l'a vécue. Sa mort est survenue le 24 juin, comme le miracle de l'instant, pour nous révéler l'instant d'éternité qui a passé par une traversée : la croix.

La vie d'Achille a souvent connu la souffrance, qui est la richesse des êtres sensibles souvent mal ajustés à notre monde.

Pour Achille, je veux que sa mort soit un matin de résurrection dans la souffrance assumée dans l'être de chair qu'il a été.

En apprenant sa mort, j'ai été renvoyé aux souvenirs de ce que j'ai vécu avec lui comme vers une source où souvent j'allais puiser.

Que de soirées passées ensemble où j'entrais dans sa vie comme on entre dans la jungle africaine, où tout était désordre. Mais comme l'écrivait Paul Claudel dans l'introduction à son merveilleux chef d'œuvre *Le soulier de Satin*, « ce désordre qui est le délice de l'imagination ».

Une vie remplie de nœuds pour la refaire comme le bois qu'il a lui-même travaillé grâce aux talents d'artisan qui étaient les siens.

Sa vie n'a pas été banale. Achille a été de ces personnes où il se passait à chaque instant quelque chose dans sa vie. Je dis d'Achille ce que Michel Garneau écrivait un jour :

> *Entre destin et liberté... je bois les saisons, je mange l'existence et je suis une caresse, comme une liberté, je suis seulement fragile.*

Achille a eu peu d'amis. Anticonformiste de nature, il était contre tout ce qui étouffait notre responsabilité dans la gestion de notre vie. Ses remises en question nous ramenaient à l'essentiel, à Dieu. Il était déroutant comme le vent. Il s'accrochait plus aux limites des personnes qu'aux personnes elles-mêmes. J'ai eu le privilège de partager une belle amitié qui me permet d'oser une parole qu'Achille voudrait taire : grâce à une délicatesse des Pères Blancs, j'ai été prévenu de l'agonie d'Achille et mon amitié, dans une grande fidélité, a été de communier à ce qu'il était encore vivant parmi nous.

Car c'est vivant que nous le voulons. C'est vivant que je l'ai connu, que je l'ai côtoyé, que j'ai partagé ma charge pastorale avec lui soit à Robertville, soit à Sheila.

Il y a des gens dont on peut faire le tour en une soirée, alors qu'il y a en d'autres dont on n'arrive jamais à épuiser le mystère et les richesses. Ainsi était Achille pour moi.

J'ai combattu le beau combat. J'ai achevé ma course. Une parole de saint Paul qui sied bien à Achille.

Dans nos conversations, Achille entrouvrait parfois la porte de son être. Il portait en lui une grande vénération pour la pensée de saint Paul, l'univers romanesque de Bernanos et les intuitions de Teilhard de Chardin.

Je dirais que l'aspect combatif de la vie de l'apôtre Paul l'a nourri au cœur des contradictions qu'il vivait. « *Tout est grâce* », extrait du *Journal d'un curé de campagne* traduisait sa quête de vérité dans son être fragile comme le héros du roman. Mais comme Teilhard de Chardin, il n'a jamais renoncé à l'espérance qui nourrit le milieu divin qui était le sien.

Mes sympathies à sa famille de sang et à sa famille religieuse. Mon seul souhait : que notre amitié grandisse dans une communion nouvelle.

Dans mes trésors peu nombreux, je conserve ce texte inédit de la grande Tonine, la sœur de mon ami Achille

À mon frère Achille

Je revenais de Paris, lui d'Afrique quelques années auparavant. Nos retrouvailles se sont faites sur la mer, dans son bateau qui prit ce jour-là le visage du Destin. Une lame subite, se jouant de notre embarcation, me projeta dans les airs et me brisa une vertèbre. Deux mois de convalescence où, éclopée, impuissante, démunie, j'ai écrit La Sagouine. C'était un cri qui s'arrachait de mon inconscient le plus secret et profond, le plus collectif et immémorial, pour renouer avec le passé de tout un peuple, de toute une part de l'humanité qui justement n'a jamais reçu sa juste part. J'ai dédié cette œuvre à mon frère Achille qui, avec le Père Léopold, était le seul prêtre qui avait trouvé grâce aux yeux d'une Sagouine qui, derrière la soutane blanche du missionnaire d'Afrique, avait reconnu le visage, non pas de l'Église du dimanche, mais de celle du Christ qui l'avait fondée en pensant à elle, deux millénaires plus tôt.

C'est ce frère-là qui, enfant, rêvait déjà de justice pour les plus démunis, pour les crasseux dont le seul gagne-pain était de ramasser dans leur seau d'eau sale la crasse des autres ; c'est ce frère-là qui avait compris, mieux que bien des institutions ecclésiastiques ou gouvernementales, que tous avaient le même droit à la vérité et au bonheur. C'est pourquoi, chevelure et burnous au vent, il est parti dans la brousse africaine pour dire aux déshérités du monde qu'ils étaient les premiers héritiers de Dieu. Il le disait à sa manière non conformiste et fruste qui était celle d'un Don Quichotte qui prend des vessies pour des lanternes et charge contre des moulins à vent. Lui qui incarnait à lui seul tous les paradoxes d'un peuple à la fois timide et frondeur, avait un cœur trop grand pour sa petite taille, un esprit trop acerbe pour la société des bien pensants, des rêves trop purs et trop infinis pour se satisfaire d'un monde qui, chaque matin, fait son nid dans le juste milieu.

De tous les êtres que j'ai connus, Achille fut celui qui m'a le plus appris à lever la tête au-dessus du seau d'eau sale qui recueille la crasse du monde, puis à suivre le regard des Sagouine qui fouillent le firmament à la recherche d'une étoile. Je sais maintenant que cette étoile, il l'a trouvée. Et je ne regarderai plus jamais le ciel des nuits étoilées sans la voir scintiller, tel un clin d'œil, un sourire en coin, une parole de travers et si tordue qu'on ne sait pas si elle est une injure ou un mot d'amour.

Antonine Maillet
Bouctouche, le 15 juillet 1997

J'écoute le *Requiem allemand* de Brahms, une œuvre majeure de trente années de travail, en relisant cette lettre de Gérard au lendemain du meurtre de Dame Plume (Denise Morelle) où il m'écrivait : « Eh oui, la vie et la mort s'entrelacent en chacun de nous. J'aime croire que la mort nous amène à rendre un dernier hommage aux gens qu'on a aimés. » C'est dans ce souvenir que je vous livre le texte de cette homélie.

Homélie aux funérailles d'un ami,
Gérard Doiron, en l'église Saint-Jean-Baptiste et Saint-Joseph, de Tracadie, le 26 janvier 2000.

Ayant accompagné Gérard depuis longtemps dans ce qu'il était et dans tout ce qu'il vivait, en préparant avec lui et Brigitte cette célébration de ses funérailles entre les larmes et le rire, avec son sourire en coin, il me disait : « Fais attention à ce que tu vas dire, je viendrai tirer les oreilles du petit- père Saulnier. » Une appellation pour me désigner héritée de Gilbert et Héloïse, son père et sa mère.

J'aurais préféré être assis avec vous et écouter dans le silence fait de communion une vie belle et pleine comme ses bonnes tartes aux pacanes pour financer son dernier voyage au Chili et en Argentine auprès de ses amies Maritza et Eva.

Mais le silence me conduit à la parole, sinon il n'y aurait pas de silence. Risquer une prise de parole au nom de la foi qui nous habite, une foi qui n'est pas illusion, une foi qui n'est pas toujours porteuse de réponse mais qui nourrit un regard qui est comme la lumière du jour sur le mystère de la mort et de la vie.

Nous sommes rassemblés dans cette église où Gérard dans son baptême a accueilli dans sa vie d'homme cette dimension spirituelle qui l'a conduit à croire à la survie au-delà de la mort et à demander cette célébration.

Gérard, c'est le fils aimé de Gilbert et Héloïse, c'est le frère apprécié et mystérieux de Alcide, Émile, Rolande, Jeanine, Elsie, Gilberte, Annette et des beaux-frères Christian, Rodrique, Sylvio et Hédard. L'oncle aimé de ses neveux et de ses nièces. C'est l'ami de cœur de Pauline, c'est l'ami de combien ! Risquer des noms, c'est un défi impossible à relever.

Pour moi, c'est le co-paroissien, l'ancien élève rempli de talent, le conteur qui rassemblait, c'est l'ami fidèle qui invitait à la vérité et à la transparence. Anticonformiste de nature, il était contre tout ce qui étouffait notre responsabilité dans la gestion de notre vie.

Avec le temps, depuis l'annonce de sa mort, le choc des événements s'est atténué autour de nous et nous avons laissé partir Gérard. Même la mort a besoin du temps pour se vivre en nous et en celui que nous laissons partir. Gérard a disparu de l'horizon de nos regards mais jamais de nos cœurs.

En apprenant sa mort très tôt un vendredi matin, j'ai été renvoyé aux souvenirs de ce que j'ai vécu avec lui comme vers une source où je suis allé puiser pour mieux vivre ce moment avec vous.

Que de soirées passées ensemble où j'entrais dans sa vie où tout semblait en désordre. Mais comme l'écrivait un grand littéraire que j'aime, Paul Claudel, dans son drame *Le Soulier de Satin* et je cite : « Ce désordre qui est le délice de l'imagination. » Dans ce désordre apparent, l'imagination de Gérard pouvait faire de lui le conteur, l'animateur, le communicateur, le causeur qui pouvait épuiser tout un peuple. Il nous essoufflait.

Sa vie de 49 ans n'a pas été banale. Une vie remplie de nœuds comme l'est notre vie mais des beaux nœuds comme le bois des grèves, une vie qui savait découvrir la beauté et la poésie des choses et des personnes aimées.

Dans une lettre, il m'écrivait de Gaspé à Sunny Bank pour nous dire comment il était attentif au temps qui passe sachant qu'il était gravement malade. Il écrit :

> « Encore une fois l'automne est là. C'est la folie de couleurs, le retour au travail, la rentrée. Dans ce temps de calme, il faut mettre de l'ordre dans ses tiroirs, préparer son agenda et retirer le maximum de tout. Curieusement, depuis 2 ans, j'ai développé le goût de partir pour mieux revenir. »

Avec Gérard, voilà le courage que nous célébrons, ce goût de partir que nous accueillons dans l'espérance d'un retour et nous sommes rassemblés une dernière fois pour le goûter avec lui.

Il est né le 12 juin, une journée qui annonçait déjà la fête de la saison de l'été et comme il l'écrivait dans une lettre :

« Le gémeau exalté des journées folles et belles bien sûr, mais aussi le gémeau des journées sombres... » Il portait dans ses gènes les élans de vie avec sa musique, ses danses, ses chants, le bruit des rivières et surtout de la mer.

« Homme libre, tu choisiras la mer », écrivait Baudelaire. La mer, la compagne de ses solitudes, de ses rêves et de ses amours ! Gérard, tu es venu marcher auprès d'elle une dernière fois en octobre dernier ; tu me disais, en parlant d'un très beau film de Visconti, « on peut mourir à Venise mais c'est aussi beau mourir près de la mer à Val Comeau. » Cette mer qu'on avait dit dangereuse dans ton enfance mais que tu as découverte si belle et qui comblait ton goût d'infini.

Je me souviens, à Boucherville, chez Christian et Gilberte, en écoutant l'adagietto de la 5e Symphonie de Malher, tu m'avais dit : « Zoël, je voudrais mourir en écoutant cette musique et en disant oui à la vie. »

Chers amis, chers parents, si nous sommes ici, c'est parce qu'avec Gérard nous voulons dire ce « oui » à la vie. Gérard nous invite à nous éveiller à la vie, à ce don inouï de Dieu. Dans une terre dominée par l'analyse des profits et des pertes, Gérard nous dit qu'on n'achète pas l'amitié ni l'amour. Quand ceux-ci surgissent, prenons conscience de leur richesse et de leur gratuité. Gérard nous dit :

« Écoutez le battement de vos cœurs. Prêtez attention aux espoirs et aux craintes qui jaillissent en vous pour voler plus loin, comme Jonathan le Goéland. Et quels que soient les fardeaux et les blessures de la vie, tout doit susciter en nous l'émerveillement. »

Gérard aussi déroutant que le vent, mais aussi lointain et aussi proche que l'étoile. Je sais maintenant que cette étoile que tu cherchais, tu l'as trouvée. Et je ne regarderai plus jamais le ciel des nuits étoilées sans la voir briller tel un clin d'œil, un sourire en coin, une parole avec l'accent d'ici aussi belle que ton amitié.

Homélie aux funérailles de Martin Pitre
le 18 novembre 1998, en l'église de Robertville.

Ma prise de parole se voudrait un prolongement de la dernière lettre de Martin et c'est donc aux amis et aux parents, à celles, nombreuses, et ceux très rares qui m'ont aimé, à Galop mon Très Grand-Galop que j'offre mes sympathies.

Comme plusieurs, je suis l'homme du silence devant la mort. Je me sens fragile comme l'oiseau emporté dans son vol par les grands vents du large et secoué par l'événement. Et si j'ose une parole, c'est au cœur d'une certaine souffrance que je partage avec vous, en cette église à Robertville, en cette terre fertile en jeunes talents où pendant 8 ans nous avons aimé, pleuré, vécu parce qu'avec vous je me sens en confiance et avec Martin je me sentais en confiance.

Merci à Jean-Marie Nadeau, un ami de longue date, de m'avoir appris le départ de Martin et d'avoir partagé sa douleur dans la nuit où nous avons besoin de l'autre pour vivre ce qui dépasse nos forces humaines.

Merci à Marie-Claire de m'avoir invité en cette église où je revis ce que je vivais avec elle et Jacques, il y a plusieurs années dans le départ de Pierre, frère de Jacques.

Je suis là avec vous parce que j'ai cru en Martin. Je suis là avec vous et mes questions mais aussi habité de « la petite fille espérance », comme l'écrivait Péguy, une espérance qui me permet de voir, au-delà de la mort, un jour qui commence à poindre, annonçant le matin de la vie.

En écho au texte des béatitudes, « Heureux et heureuses sommes-nous d'être tout simplement là en toute amitié, une amitié qui dit la fidélité de notre présence. »

Nous sommes là, autour d'un fils, d'un ami, d'un écrivain romancier et poète, un paroissien que j'ai accueilli, côtoyé, admiré et aimé.

Nous sommes là tout simplement, un peu ou beaucoup désarmés, comme des invités à une fête qui n'a pas eu lieu.

Nos sentiments sont aussi différents et diversifiés que les personnes que nous sommes et les croyances qui sont les nôtres. Nous sommes là dans cet espace de liberté que nous donne Martin pour vivre cette heure.

Notre présence est d'abord silence. Et ce silence prendra forme avec la complicité d'un Martin qui cherchait ses mots, comme il nous l'a écrit. Ce silence prend forme davantage dans des mots, dans un langage comme l'écriture pour communier une autre fois à la sensibilité de Martin pour enfin fêter sa mort. Fêter sa mort pour reprendre avec lui, d'une façon nouvelle, le chemin de la vie en portant en nous la quête d'infini qui l'habitait.

Pour sa mère Béatrice, Martin a été l'enfant ou le fils qui lui rendait l'amour donné. Pour Marie-Claire, Francine, Nadine et Jean-Marie, un frère au cœur ouvert et jamais fermé… et pour plusieurs un ami qui savait être présent et parfois absent, une absence désinvolte qui annonçait le retour de l'oiseau migrateur.

Quant à moi, Martin hantait ma vie de sa présence et de son écriture. De Caraquet où je vis, où Martin a laissé une grande partie de son cœur et de sa souffrance, avec lui j'assistais à la découverte d'un grand talent littéraire. Et tout cela me ramène à l'enfant « fouineux » et échevelé qui, déjà en 5e année, cherchait dans mes livres des poètes et des romanciers français, la puissance des mots qui bâtira le héros de *L'Ennemi que je connais*.

Si j'associe Martin au poète au trait de feu Arthur Rimbaud, ce n'est pas pour le grandir, car Martin possédait sa vraie grandeur. C'est que, comme Rimbaud, en Acadie, Martin a été l'homme aux semelles de vent. Il a été un poète aux poings fermés qui voulait nous révéler à nous-mêmes dans l'audace d'une écriture trop tard reconnue. Sa mort fait partie de son expérience littéraire. Sa mort est son dernier poème.

Sa mort a été sa façon de nommer son mal de vivre, sa souffrance d'être ce que nous sommes comme collectivité à certains moments, son effort pour libérer sa conscience morale de tout ce qui l'étouffait.

Mais aussi, son écriture a été un réseau de liens multiples entre nous et avec notre monde, et c'est un héritage qu'il nous laisse non loin de l'horizon où lui-même s'est affaissé.

Martin, comme nous pouvons le sentir dans son recueil poétique *La morsure du désir*, a mordu dans la vie comme on mord dans un fruit avec ce désir gidien de vivre, mais dans un fruit devenu trop amer. Comme Rimbaud, il avait son Bateau Ivre, et comme il nous l'a écrit, cette vie a été pour lui « un emploi mal défini ». Comme Rimbaud, son expérience littéraire illuminante l'a conduit finalement au silence, là où espace et temps semblent s'abolir.

Devant cette impuissance de changer la vie et les lenteurs de notre vie collective, il a décidé de changer sa vie. Provocateur dans sa pensée et dans ses écrits, Martin n'a rien voulu camoufler, même pas son départ ou sa sortie de notre monde. Si sa mort devenait pour lui un chemin de liberté ?

Dans cette dernière page blanche que nous avons à lire avec notre cœur, il est vrai de se dire que « l'essentiel » est invisible et qu'on ne voit bien qu'avec le cœur.

Un dernier geste, un dernier bruit, une dernière page blanche que nous avons à accueillir, à apprivoiser avec les yeux du cœur.

« Heureux et heureuse » – un mot qui dans le langage biblique veut dire, à tout un peuple, marchons plus loin aux appels de nos rêves, marchons au-delà de notre douleur pour qu'en Acadie se lèvent, à la suite de notre ami Martin, des hommes et des femmes qui, au cœur de notre culture, donnent un souffle nouveau à l'avenir de notre peuple.

Devant l'immense détresse enflammée de Martin, sa quête de vérité maintenant illuminée d'éternité donne un sens à notre célébration.

Voilà mon acte de foi !

Une femme, une artiste dont j'entends encore la musique comme les grandes marées de l'automne.

Homélie aux funérailles de Renée Robichaud-Lanteigne

Je remercie Jean de m'avoir invité à partager une parole avec vous, une parole de Dieu qui rend moins lourds nos pas dans ce départ de Renée. Jean, tu me disais : « Je te demande cette prise de parole non pas pour toi mais pour Renée afin de l'accompagner dans sa nouvelle manière d'être parmi nous. » Devant une telle espérance qui t'habitait, je ne pouvais que dire oui.

Renée a été parmi nous et pour nous une découverte constante. Sa vie a été d'abord un lieu de grande création de ses quatre enfants dans l'amour avec Jean, et aussi un lieu de grande création artistique et de grande participation culturelle. Elle a vécu sa vie comme elle déchiffrait à son clavier une partition musicale. Et rien n'a pu l'empêcher d'aller jusqu'au bout, jusqu'au dernier accord et de lâcher prise à minuit. Expérience de lumière pour ses proches, car c'est dans la nuit qu'il est bon de croire à la lumière. Ce corps qui lui faisait mal a lui aussi lâché prise pour laisser partir pour vivre pleinement et intensément cette chère Renée que nous avons croisée tant de fois, que nous avons connue et aimée.

Je dis pour elle et pour vous ces quelques lignes d'une chanson, surtout pour elle dont la vie a été musique, et je cite :

« Elle a fermé sa vie comme un livre d'images
Et riche d'un sourire au terme d'un voyage
Elle a quitté son corps comme on quitte un bateau
En emportant la paix gravée sur son visage
Elle souriait de loin du cœur de la lumière
Son âme était claire aux franges de la nuit
On y voyait du bonheur jusque dans sa misère
Tout l'Amour de la terre s'en allait sans bruit. »

Renée nous quitte au début de la saison de l'été pour nous dire à sa façon que la vie est toujours pleine de promesses malgré la mort qui est toujours le dernier combat à mener. Mourir au début de l'été, c'est le dernier cadeau qu'elle nous a fait pour nous inviter à regarder, au-delà de l'événement, les promesses de vie éternelle comme une moisson à venir.

Renée a pris la parole dans notre monde culturel mais, surtout, elle s'est fait entendre aux claviers des grandes orgues et de son piano. Elle nous a parlé à travers sa musique avec une générosité qui nous révélait toute la beauté et la réelle grandeur de sa personne. Elle s'est confiée à son piano comme on se confie à un ami. Chaque soir de concert, elle se faisait proche de nous et chaque note était pour nous la plus belle de ses confidences. Avec ses doigts, elle nous parlait. C'est ainsi qu'elle touchait nos cœurs. C'est ainsi qu'elle accostait jusqu'à nous, jusqu'au plus intime de nous-mêmes.

Au dernier festival de musique de la région de Caraquet, elle, qui était aux frontières de la mort, disait aux jeunes talents : « Ayez le courage d'aller jusqu'au bout afin d'honorer ce que vous êtes. » Un courage fortement nourri chez elle et qui a pris racine dans une grande souffrance, elle qui est allée jusqu'au bout pour mieux honorer ce qu'elle était.

Renée, femme de culture et de musique, a démontré dans sa vie ce que ces paroles disaient.

Renée, femme d'accompagnement dans tous les sens du mot. Celle qui a marché dans son talent à côté de l'artiste afin de le révéler dans la beauté de son art et cela avec discrétion et comme l'écrit Gibran dans *Le Prophète* :

> « *Le musicien peut chanter pour nous la mélodie, mais il ne peut donner l'oreille qui saisit le rythme, ni la voix qui lui fait écho.* »

Ceux et celles qu'elle a accompagnés saisissent tout le sens de ce texte. Sans prendre la place de l'artiste, elle communiait dans l'accompagnement avec une telle complicité pour faire naître à la vie les plus belles de nos chansons et permettre l'éclosion des talents de chez nous.

Si on faisait un sondage auprès de tous les artistes qu'elle a accompagnés, dans le milieu scolaire où elle a œuvré, auprès des organismes culturels de la région, il y aurait consensus pour nous dire que Renée était plus qu'une technicienne de son art, c'est d'abord dans son cœur qu'elle était avant tout musique. Le milieu culturel acadien a grandi avec elle. Avec elle, des talents ont germé, avec elle notre culture a enraciné son identité pour mieux s'imposer au monde. Renée a été interpellante parce qu'elle avait foi dans ce qu'elle faisait. Elle voulait nos écoles ouvertes à la culture musicale, des écoles qui provoquent les talents au lieu de les éteindre, des écoles qui accompagnent les jeunes dans un lieu de création.

Renée, épouse, mère et surtout femme autonome jusque dans sa maladie en devenant celle qui a accompagné sa vie avec une ténacité étonnante ; même partie, nous avons l'impression d'entendre son souffle qui arrive jusqu'à nous. Renée est femme de foi, elle nous rassemble comme à la fin d'un concert, cette fois silencieuse, pour vivre dans ce pays de Dieu au son d'une musique intérieure, ce Dieu qui lui manifeste son amour.

Un beau texte de Jacques Brel devient pour nous le testament de Renée :

« Le seul fait de rêver est déjà très important
Je vous souhaite des rêves à n'en plus finir et
l'envie furieuse d'en réaliser quelques-uns.
Je vous souhaite d'aimer ce qu'il faut aimer
et d'oublier ce qu'il faut oublier.
Je vous souhaite des silences.
Je vous souhaite des chants d'oiseaux au réveil des rires
d'enfants.
Je vous souhaite de résister à l'enlisement,
à l'indifférence, aux vertus négatives de notre époque.
Je vous souhaite surtout d'être vous ! »

Dans ces accompagnements de cet événement mort-vie, il y a plus que des paroles creuses semées à tout vent. Tous ces départs m'ont permis de renouveler chaque matin mon contrat avec la vie. Quand je rentre de funérailles, je me sens comme au lendemain d'une partie de pêche ratée. Comme bien des gens, je me sens vide. Et c'est dans ce vide que j'essaie d'apprivoiser ma propre mort dans la mort des autres. Peu à peu, faisant l'expérience des **chaises vides** autour de moi, il y a en moi comme un réveil à la vie aussi discret que le murmure du vent. Je suis soudainement envahi par un sentiment de reconnaissance face au don de la vie qui me dépasse, un peu comme Etty Hillesum avant son exécution à Auschwitz :

« J'ai réglé mes comptes avec la vie, je veux dire : l'éventualité de la mort est intégrée à ma vie ; regarder la mort en face et l'accepter comme partie intégrante de la vie, c'est élargir cette vie. À l'inverse, sacrifier dès maintenant à la mort un morceau de cette vie, par peur de la mort et refus de l'accepter, c'est le meilleur moyen de ne garder qu'un pauvre petit bout de vie mutilée. Cela semble un paradoxe : en excluant la mort de sa vie, on se prive d'une vie complète ; et en l'y accueillant on élargit et enrichit sa vie. »

Je dis : puisque tout commence dans ma vie par une naissance, pourquoi le tout ne se terminerait pas par une renaissance ? Je me souhaite d'arriver à la mort plus frais qu'un bébé, avec l'étonnement et les cris d'une nouvelle naissance. Et comme l'a écrit Marguerite Yourcenar, femme de lettres française, « les yeux grand ouverts » remplis d'espérance.

Qu'en sera-t-il du moment de mourir dans ma vie ?

Je voudrais oublier ce moment parce que tellement pris par la Vie !

Quitter la vie comme on quitte la scène au théâtre : le rideau se ferme... les lumières s'éteignent... et tout recommence !

« Je voudrais mourir au bord de la mer
Un soir d'été
Bercé par le bruit des vagues et le cri des mouettes
Je voudrais mourir au bord de la mer
Devant l'étendue de l'eau
Nappe liquide me rappelant les eaux de ma naissance
De mon baptême
Je voudrais mourir au bord de la mer
Dans un soir où la lumière se mêle à l'eau
Comme un reflet d'or
Pour mieux me perdre dans l'Infini qui m'appelle... »

Je sais qu'au soir obscur d'un jour quelconque, le soleil me dira son dernier adieu. Et je fais cette prière : puissé-je savoir avant de la quitter pourquoi cette terre m'a pris dans ses bras. Tagore

Une manière d'être au monde

• le temps qui passe

Si le temps nous détruit
Si le temps nous abrège
Si le temps et l'espace
Avalent nos chansons
comme menus propos
et font de nos espoirs
un disque démodé

GILLES VIGNEAULT

On devient pas vieux pour avoir vécu nombre d'années, on devient vieux parce qu'on a déserté son idéal.

Les années rident la peau, renoncer à son idéal ride l'âme.

GÉNÉRAL MACARTHUR

Je vieillis et mon pas sur cette terre est hésitant

Un jour, je poserai mon pas une dernière fois sur cette terre

Je voudrais partir sur le nuage le plus proche de la terre

Regardant ceux et celles que j'ai aimés

Je voudrais être accueilli par la plus belle des musiques

capables de combler mon cœur assoiffé des autres

Je voudrais être serré dans les bras d'un père, car c'est ainsi que j'ai toujours nommé le Dieu de ma foi

Enfin, ainsi commencerait l'éternité...

Au lendemain du 15 août, je me lève un peu cabossé. En me débarbouillant des rêves de la nuit, j'aperçois mon visage de septuagénaire. Je me vois souvent dans le miroir sans vraiment me regarder. Voir, c'est embrasser d'un coup d'œil distrait ce qui est là devant vous, sans plus. Tandis que regarder, c'est poser un regard et découvrir ce qui m'est révélé dans ce que je ne vois pas. En me regardant ce matin-là, au lendemain de la fête, je me suis mis à sourire d'aise. Rien de plus narcissique que cette expérience matinale du miroir. Sans pour autant rejoindre mon image de l'autre côté de la glace comme dans le mythe, je retournais à moi-même habité d'une joie à nulle autre pareille. Il y avait là le commencement d'une journée aussi belle qu'un premier matin de la création. J'avais 70 ans. Je me suis dit : « Je suis plus qu'un paquet d'os qui vieillit et qui sera un objet de musée subventionné par le gouvernement en attendant de mourir. » Dans une décision réfléchie, je me refuse de me laisser porter par le courant d'une société à tiroirs pour échouer comme une épave sur la grève du temps. Je veux être du voyage avec mes projets et mes rêves pour embellir la croisière.

À 70 ans, ça fait cliché d'écrire que je suis à l'automne de ma vie. Et pourtant, c'est vrai, hélas ! Quelle chance que de posséder dans notre langue ce mot « hélas » ! Un mot fourre-tout de tant d'intensité et qui est l'aveu indirect d'un embargo impossible sur le temps qui passe. Carla Bruni, dans la chanson *Quelqu'un m'a dit*, murmure :

Le temps est un salaud
Il se fait de notre tristesse un manteau.

Dans la doublure de ce manteau, je trouve, dormantes, des joies qui me prennent comme une musique. Au crépuscule, le moment préféré de la journée, dans une pénombre très douce, avant la nuit qui vient, je me regarde vieillir, un dimanche d'automne où la froidure est au rendez-vous dans le sifflement du vent et le brassement des eaux à couleur de terre. Les murs de ma maison résistent à la force du vent, tenace comme l'enfant qui revient sans cesse tant que son désir n'est pas comblé. Le vent se repose un instant et le silence m'envahit doucement. Le silence est d'autant plus beau dans l'attente des brusqueries sauvages du vent. Je m'interroge sur les origines du silence et du vent dans leur alternance au cœur de ma solitude. C'est heureux qu'il n'y ait pas de réponse parce que tout est plus beau enveloppé du mystère qui éveille en moi la contemplation la plus dépouillée.

Dans ma vie, c'est aussi l'automne, la saison de ce qui passe et disparaît comme dans un temps de récolte. C'est un moment de ma vie où la réserve des illusions s'est vidée peu à peu, et je me confie à vous dans mon vieillissement à la manière d'une prière litanique.

J'ai compris un tant soit peu que vieillir, c'est cesser de se donner de l'importance pour vivre cet accord enfantin avec la vie en humant le parfum d'une fleur, en jouant avec un enfant.

Vieillir, c'est vivre ses souvenirs dans la profondeur de ce qu'ils sont sans les modifier. C'est l'expérience que j'achève dans l'écriture.

Vieillir, c'est la patience attentive d'être là tout simplement, comme auprès d'un puits, et oser regarder dans la profondeur émouvante de ses souvenirs pour y découvrir la beauté. Moi qui ai longtemps pensé qu'on avait enfermé la beauté dans les musées…

Vieillir, c'est aussi saisir, dans l'urgence du temps qui passe, la beauté de l'instant à vivre qui se nourrit dans le mystère de l'être que je suis et que je deviens.

Vieillir, c'est accepter, comme l'artiste qui, en sortant de son atelier, dépose ses outils avec un cœur satisfait mais tendu vers l'avenir. Un avenir qui lui révèle que le chef-d'œuvre à terminer, c'est lui-même. Vieillir, ce n'est pas la vie qui est devant une œuvre d'art inachevée, mais une plénitude dans un regard qui embrasse le parcours merveilleux d'un passé.

Vieillir, c'est rencontrer dans les autres ce qu'on porte en soi.

Vieillir, c'est prendre le temps de boire à l'herbe trempée de pluie dans un retour sur soi-même jusqu'aux profondeurs de l'âme, non pas dans un repliement sur soi mais dans des élans de grande maturité.

Vieillir, c'est se laisser atteindre dans ses instincts de propriétaire, puisque tout invite au dépouillement.

Si vieillir, c'était vraiment l'automne de la vie, le commencement de la moisson…

Si vieillir, c'était apprendre à vivre comme l'écrit Alexandre Jardin, dans son roman fantaisiste, *Les Coloriés* : « Vivre n'est pas l'art de cultiver un héritage mais l'occasion de foncer vers soi, en échappant à la noyade du vieillissement. »

En ruminant la dédicace du conte de Antoine de Saint-Exupéry, j'y découvre le secret pour échapper à la noyade du vieillissement : « Je veux bien dédier ce livre à l'enfant qu'a été autrefois cette grande personne. » Je reprends pour nous les différents personnages de ce conte puisque le « foncer vers soi » nous invite à nous changer intérieurement chaque matin avec les yeux neufs de l'enfant. Comme le Petit Prince, nous allons vieillir dans la doublure du temps en sécrétant autour de nous le bonheur comme du bon miel et...

⇛ non pas avec les yeux du roi solitaire bouffis de préjugés impénétrables,

⇛ non pas avec les yeux du vaniteux dans une galerie de portraits fermée sur elle-même

⇛ non pas avec les yeux du buveur qui cherche les raisons de se haïr au lieu de travailler sur soi

⇛ non pas avec les yeux du businessman pour qui la raison de vivre est de tout acheter même l'amour

⇛ non pas avec les yeux de la personne qui sait se transformer en chiffres, en statistiques, comme le géographe

⇛ non pas comme le théoricien de l'encrier qui vit dans son centre de recherche pour ne pas regarder la vie

⇛ non avec la rage du travail de l'allumeur du réverbère qui s'ennuie

Comme le Petit Prince, dans le vieillir, je veux suivre le chemin des étoiles ou de la source et voir quelle lumière dans la nuit éclaire mon parcours et quelle eau vive je pourrai trouver dans les dunes de sable pour abreuver mes aspirations et mes désirs.

Un soir de la veille du jour de l'An, un soir où le temps s'est fait aussi proche de moi qu'un ami, voilà une réflexion un peu pot-pourri qui m'a habité.

Ce soir, la musique entre dans la maison comme une visiteuse qui apporte avec elle, le calme et la paix. J'ai appris à vivre avec elle dans le silence de mon être. Elle est ma dame de compagnie qui se maquille des souvenirs de mon enfance. Une solitude qui porte les rides de mon âge, qui rendent plus belles les blessures cueillies en gerbe le long du chemin de ma vie.

Tout va trop vite. Il y a peine quelques heures, il me semble, j'étais l'enfant que je retrouve encore aujourd'hui et qui m'étonne comme une découverte dont je suis toujours fier. J'abolis les frontières des âges pour vivre comme d'un seul jet mon existence. Je ramène tout à l'instant présent qui est le condensé de toute ma vie. Je ramasse les secondes, les minutes et les heures qui tombent dans ma vie comme les feuilles d'automne. Chaque feuille dans sa chute fait un pas de danse qui nous renvoie à la fête de la vie. Mon premier pas sur cette terre m'a permis d'entrer dans le bal de la vie.

C'est la fin d'une année. Je pourrais me retirer du bal et refuser de faire le pas qui me mènera à l'an tout neuf. Mais puisque la vie est comme une danse où chaque partenaire doit s'ajuster avec le temps, pourquoi refuser cette valse à mille temps ?

Il y a 70 ans, je me suis embarqué dans le temps et j'y passe comme un bateau qui navigue sur l'eau. Depuis 1933, un 15 août, le temps m'a accueilli comme dans un berceau. Peu à peu, dans la danse des âges, le temps m'a permis de vivre ce soir à la dernière heure de l'année. Les souhaits fusent de partout et pourtant le seul qui me convienne, c'est celui d'accueillir comme un ami celui qui chaque année me redit sa fidélité sans reproche, comme si j'avais rendu le temps plus beau en le vivant au rythme des saisons. Quelques années ajoutées à la grandeur du temps, qui revient toujours tout neuf et qui me donne ce privilège, avec ce que je suis, le courage de l'embellir et de le griffer de ma présence essentielle dans l'histoire de l'humanité.

Célébrer le jour de l'An, c'est comme épouser le temps que je côtoie depuis 70 ans dans la succession des jours, des heures, des minutes et des secondes.

Un peu de temps, c'est l'histoire d'une vie.

Un peu de temps, ce sont des années dans l'immense fresque du temps qui passe comme une manière d'être au monde.

Une manière d'être au monde

- le silence
- la solitude
- comme une musique

Finale

Tout doit se terminer comme dans la plus belle symphonie où tout est résolu dans un accord final.

C'est vrai, je suis de mon enfance comme d'un pays. Je me suis souvenu pour crever les « jadis » et les « antan » de ma vie. Au cœur des souvenirs, j'ai retrouvé les lointaines attaches et j'ai plongé avec vous au cœur des sources fraîches d'où jaillit l'être que je suis aujourd'hui. J'ai voulu comme l'enfant bercer sur mon cœur mille fleurs du souvenir. Ces souvenirs ont échangé entre eux la saveur d'une présence remplie de confiance. J'ai cueilli au cœur de ma vie, de mon errance, tout ce que votre amitié a rendu plus beau. En remontant avec vous le cours de la rivière, je n'ai rien voulu renier de mon passé. Ce que la vie m'a appris m'appartient et je l'ai encore une fois savouré avec vous comme un fruit mûr. Dans cette succession d'événements, dans ces manières d'être au monde, je n'ai pas voulu décrire l'histoire de ma vie dans les seuls faits extérieurs, cohérents ou pas. J'ai voulu avec des mots, dans la densité de ce parcours, vous ouvrir au sens de ma vie et à la portée de mon engagement. J'aurais voulu être aussi transparent que l'eau claire qui tombe en cascade du rocher. Il me fut impossible de l'être, car il y a encore dans ma vie des ombres que je n'ai pas encore apprivoisées. Vous êtes entrés dans ma vie comme dans une église où se célèbre l'inédit de nos êtres.

Dans ce temps qui passe, je vous ai révélé ce sanctuaire de mon âme et de mon esprit qui se nourrissent dans le silence et la solitude. Je dis solitude et non pas isolement. Une solitude qui n'est pas solitude du cœur, mais un solitude ivre de présence et de communion, une solitude débordante de tendresse inemployée et habitée par les besoins des autres. Dans un monde où le bruit nous rend souvent absent à nous-mêmes, il ne faut pas craindre la solitude et le silence parce qu'ils sont un pourrissement et la seule condition des transformations véritables :

Et ton silence est grain de blé dans la terre
où il pourrit afin de devenir. (Saint-Exupéry)

Dans mon devenir, cette maturation évoquée m'a permis de découvrir le sens des choses dans ma propre vérité à vivre. La solitude m'a fait découvrir lentement ma vérité et savourer les choses et les personnes dans leurs absences assumées.

Sans renier mon engagement, avec du recul et une certaine sagesse, j'ai compris que souvent mon action m'a éparpillé et m'a fait vivre à l'extérieur de moi-même au risque de me détruire. Dans ce temps qui est mien de plus en plus aujourd'hui, j'habite ce royaume de ma vérité comme le propriétaire d'une maison. Je me rallie à cette vérité intérieure qui dépasse la valeur de la vie même, car dans l'urgence du temps qui s'envole, je suis à vivre la synthèse de mon être dans une gestion qui est loin d'être facile. Et c'est dans la solitude et le silence que se réalise l'unité de ma personne. J'ai enfin compris qu'on n'est pas plus présent au monde en remuant beaucoup d'idées, mais en nourrissant notre espace intérieur qui crève les yeux dans l'éclat de sa beauté.

Dans cet accompagnement de l'écriture, j'ai retrouvé, dans les bagages de ma vie, l'odeur de mon enfance. J'ai déballé le baluchon de mon existence avec votre complicité et avec la naïveté qui est mienne. Peu à peu, des souvenirs sont devenus vivants et m'ont regardé avec des yeux aussi vieux que mon âge. Des souvenirs qui sont revenus comme le mouvement des vagues dans une liberté qui m'a étonné, des souvenirs aussi tenaces que le retour des marées. Lentement, dans la sérénité, j'ai fouillé pour mieux démêler dans ce fatras des événements, ce qui encore aujourd'hui a un sens pour moi. Avec vous, j'ai mesuré le temps comme un ruban de souvenirs au creux de ma mémoire.

Une mise en garde avant de tourner cette dernière page.

Souvent, j'ai senti que l'écriture ne me menait nulle part, si oui au chemin de mon cœur. Il n'y a qu'une seule saison dans ma vie, celle de mon cœur. Autant de mots qui ont été le miroir de mon intimité. Ils ont émergé de ma plume pour choir sur une feuille de papier nonchalamment parfois, mais toujours dans la vérité. Mais les mots comme les paroles servent mal le sens mystérieux de l'être. Et j'en suis fort aise. Les mots au service de l'écrit déforment souvent ce qu'on a vécu. Le plus beau dans une vie ne peut s'écrire ou se dire sans trahir tout le mystère.

Il y a de l'encre dans ma plume, mais pas de mots qui viennent.

Je me retire en faisant la révérence à cette page blanche comme à une dame de compagnie.

Je reviendrai, mais je ne sais quand.

Je termine un livre, mais je ne termine pas ma vie. Si j'ai un avenir aussi beau que mon passé, je vous invite à vieillir avec moi. Au bout de mon âge, je porte cette question : comment grandir où le « vieillir » est au rendez-vous comme une étape de croissance ? Je choisis l'exemple du chemin qui nous conduit toujours plus loin, quel que soit notre âge. Il y a, dans la réalité concrète du chemin, de la mouvance, du dépassement, de la mobilité pour contrer l'idée statique de la retraite et de tout ce qui est sédentaire. Antoine de Saint-Exupéry a écrit dans *Citadelle* : « Je n'aime pas les sédentaires du cœur. » Une citation qui justifie cette image du chemin en vieillissant avec toute la passion de mon être.

C'est la première fois de ma vie que je suis à cette étape de mon existence. Et c'est ainsi que chaque âge possède sa jeunesse. Cette saison de ma vie, elle est nouvelle, elle est toute neuve. Et je veux la vivre avec l'entrain de la jeunesse, avec la possibilité de rêver de la jeunesse, avec le même enthousiasme qui était le moteur de mes engagements. Dans la sagesse du vieillissement, je comprends mieux que la vie est un tissu d'une seule pièce et que tous les âges qui précèdent sont en moi comme un bagage dont je suis fier. Je suis l'aîné qui aujourd'hui accepte de grandir avec ce que j'étais hier. Je porte en moi tous les âges de ma vie pour mieux être la personne qui se vit dans une société dans laquelle je peux m'épanouir. Dans un monde d'ordinateurs de plus en plus froid, l'aîné que je suis peut être un foyer de chaleur accueillante, un accompagnateur des générations montantes, un transmetteur de valeurs sur les chemins sans fin de leurs désirs et de leurs aspirations. Je veux être porteur d'amour et d'émerveillement dans un monde d'apparence, de peur, de méfiance et de conflits inquiétants. Je m'engage dans ce chemin de croissance vers de nouveaux horizons, vers des lieux d'épanouissement. Je veux rencontrer l'autre dans son âme. Je me dis que si l'âme est dans la chair comme la perle est dans l'huître, je n'ai pas fini de m'ouvrir à ce qui n'a pas encore été exploré dans ma vie.

Alexandre Soljenitsyne, écrivain russe et prix Nobel de la littérature, qui avait terriblement souffert dans le goulag où il avait été emprisonné pour avoir écrit une lettre contre Staline, était de passage en Amérique du Nord dans les années 70. Nous nous attendions alors à ce qu'il dénonce l'impitoyable répression du régime soviétique. Il scandalisa l'opinion publique en pointant du doigt le vide spirituel de la société de consommation américaine. Il nous invita à faire le pèlerinage vers notre beauté intérieure. Je me souviens d'avoir lu, dans le journal *Le Devoir*, ce billet de Jean Martucci, un bibliste que j'ai admiré : « On peut aller au bout du monde, sans jamais aller au bout de soi-même. On peut aller très loin devant soi et ne jamais entrer en soi. On peut se rendre ailleurs pour admirer de nouveaux visages et ne jamais se rencontrer soi-même pour se regarder en face. » Avez-vous croisé des gens qui demandent des verres correcteurs pour mieux voir leur intérieur ? Il est important de corriger cette carence visuelle de notre intérieur. Je vous invite à ce voyage intérieur pour découvrir en vous-même de quoi remplir tout l'univers, découvrir cette beauté intérieure qui ne se ternit pas avec le temps. Comme dans les vieilles chansons et les œuvres d'art, avec le temps, il y a en nous une lumière qui s'accroît toujours de plus en plus. Quand on sait aller à l'intérieur des êtres et des choses, on vit la beauté de l'innocence et la fraîcheur de l'émerveillement. Comme me disait une personne plus âgée que moi, ma vue baisse, c'est au-dedans que je vois beaucoup mieux. Dans un monde rempli de bagatelles, de superficiel, de maquillage et de faux-semblants, je voudrais proclamer bien haut, comme cette dame âgée, que l'essentiel est invisible. Dans ce pèlerinage vers l'essentiel, je voudrais découvrir un lieu de croissance qui n'a jamais fini de grandir. Quel que soit mon âge, comme l'enfant je reste fasciné par une course au trésor. C'est à moi de le libérer pour découvrir que vieillir, c'est marcher dans la direction de mon enfance, c'est voyager au creux de soi-même pour mieux « conaître » à ses propres richesses intérieures. Il n'est jamais trop tard pour habiter ce pays dont nous sommes trop souvent absents. Au cœur de l'électronique, au cœur de l'informatique, je voudrais éveiller davantage en moi ce goût de l'Invisible et greffer à mon entourage le regard du cœur. Quand je vais à l'intérieur des êtres et des choses, je vois que tout est grand, car tout a la dimension de mon cœur. Je me souviens d'avoir lu quelque part qu'un jeune homme dans la trentaine qui bossait dur et qui avait perdu sa puissance d'émerveillement amenait chaque dimanche midi sa vieille maman au restaurant comme un rite banal dans sa vie sans couleur. Un dimanche, après avoir mangé au restaurant avec elle, lui plus absent que présent, lui qui vivait écrasé par son boulot où le superficiel était son oxygène, il reconduisait son amour de maman à sa vieille maison remplie de souvenirs et de solitude. Avant de descendre de la voiture automobile, la vieille dame s'exclama avec la force d'âme qui lui restait : « Jacques, regarde comme c'est beau ! » « Qu'est-ce qui est si beau, maman ? » « Le gazon, mon Jacques », lui répondit-elle avec l'émerveillement de l'enfant un matin de Noël. En se tournant pour regarder le gazon, il vit le visage ridé de sa mère, ses cheveux blancs et ses longues mains aux veines et aux jointures dilatées. Ses yeux fatigués étaient brillants et lumineux et son visage radieux, alors qu'elle pointait les doigts de sa main tremblante vers la pelouse verte, vers un petit morceau de gazon. Avant de laisser sa maman à sa solitude habitée sur la galerie de sa maison où lui-même avait grandi, il la serra fort avec des larmes dans les yeux, et il lui dit : « Maman, je m'en vais à la maison pour regarder la beauté du gazon. » Moi aussi, comme Jacques, dans ce temps qui échappe au temps, je peux tout inventer sans arrêt. Réapprendre l'alphabet de l'émerveillement et tracer des lettres pour dire au monde que l'essentiel est invisible dans la force de l'émerveillement qui est mienne.

Peu à peu, j'ai senti que je faisais trop dépendre mon estime de moi de paramètres extérieurs : le statut social, etc. Tous les manques que je ressentais, je voulais les combler par projection. Un attitude qui a entretenu longtemps un sentiment d'insécurité et de doute qui conduisait parfois à un rejet de ce que j'étais. C'est la dimension intérieure de mon être qui m'a sauvé. Dans ce monde éclaté qui est le nôtre, il y a une recherche spirituelle d'une qualité rare. Dans une société toute économique, j'ai ce défi d'aller toujours plus loin dans ce voyage intérieur qui est le plus beau et le plus réconfortant. Accueillir le ciel qui m'habite et me dresser dans ma pleine stature d'homme, retrouver en moi la grandeur et la beauté de cet « en soi » où personne ne peut pénétrer sinon moi, seulement moi. La modernité a beaucoup apporté à notre monde : le développement des sciences pures, la démocratie en Occident, les progrès du confort, les avancées de la liberté, la Charte des droits de la personne. C'est pour cela qu'il est urgent de revisiter de l'intérieur ce que la modernité a apporté afin d'incorporer une spiritualité au cœur de tout cela et non en dehors de tout cela. Tout aujourd'hui passe par une nouvelle quête spirituelle pour tenter de nouvelles ouvertures et inventer un sens dans l'éclatement de notre société et de nos vies personnelles. Je vis cette épreuve de la traversée dans le voyage de ma vie pour toujours descendre plus loin en moi et m'aventurer dans cette contrée, dans ce paysage intérieur où il m'arrive de croiser l'inconnu que je suis à mes propres yeux.

En regardant notre monde que j'aime, je pense à cette parabole : *Des passants crièrent un jour à un pauvre cavalier emporté par un cheval emballé : « Où vas-tu ? » Il répondit : « Je ne sais pas, demandez au cheval ! »* J'ai parfois l'impression que notre civilisation ne sait pas où elle va, mais elle sait qu'elle y va vite. Je voudrais à cette heure qui passe, avec la patience et la sagesse de mon expérience et la passion de mon engagement, donner du sens à cet éparpillement post-moderne. En m'inspirant du texte de Jean Giono dans son ouvrage que la talentueux Frédéric Back a illustré, *L'homme qui plantait des arbres*, je vous laisse un peu la synthèse de mon parcours :

> *Pour que le caractère d'un être humain dévoile des qualités vraiment exceptionnelles, il faut avoir la bonne fortune de pouvoir observer son action des longues années. Si cette action est dépouillée de tout égoïsme, si l'idée qui la dirige est d'une générosité sans exemple, s'il est absolument certain qu'elle n'a cherché de récompense nulle part et qu'au surplus elle ait laissé sur le monde des marques visibles, on est alors, sans risque d'erreurs, devant un caractère inoubliable... Mais je fais le compte de tout ce qu'il a fallu de constance dans la grandeur d'âme et d'acharnement dans la générosité pour obtenir ce résultat, et je suis pris d'un immense respect pour ce vieux paysan sans culture qui a su mener à bien cette œuvre digne de Dieu.*

Dans ce texte, puissiez-vous trouver le sens de mon engagement.

J'ai écrit ces textes pour vous que j'aime. Et je vous avoue que je commence à comprendre et surtout à vivre le plaisir du non-regret dans ces différentes étapes de ma vie. Je vis la reconnaissance d'un passage ici-bas qui ne demande qu'à naître encore et encore. Je vous avoue candidement que j'ai longtemps vécu avec ce regret de ne pas avoir pu vivre comme mon cœur d'enfant l'avait imaginé. Ce besoin d'être reconnu, ce besoin d'être aimé. Aujourd'hui, je crois sincèrement que je goûte à un peu plus de sagesse, celle de tout partager. À la fin de cette lecture, je voudrais qu'il reste, dans le cœur de chacun de vous, un peu de place pour faire la paix et la vivre pleinement. Cultivez le jardin de vos amitiés, un jardin habité de couleurs et de foi en la vie

Le paradis est au bout du chemin en pataugeant dans les eaux de la SAVANE où pousse la paix comme les herbes sauvages jusqu'au sable doré de la DUNE.

À la fin de cet exercice d'écriture, comme une machine à remonter dans le temps, je vous avoue que je ne connais pas d'autre vérité que celle de mes désirs. Tout ce que vous avez lu dans cet acte d'écriture relève de la secrète construction de ma liberté intérieure, de ma géographie intime, de mon identité singulière.

Maintenant, laissez-moi partir avec mes désirs, sans bagages, allégé de mes souvenirs.

Pour moi, partir sans bagages, c'est marcher dans la confiance, souvent seul. C'est aller au-delà du visible dans la lumière d'un grand appel. Partir sans bagages, c'est laisser derrière moi les habitudes du passé, c'est m'habiller de légèreté pour danser ma vie avec ou sans vous.

Musique... écoutons ce choral pastoral de Jean-Sébastien Bach, *Les brebis peuvent paître tranquilles,* car chaque musique apporte un éclairage nouveau sur nos vies, comme ***une manière d'être au monde***.